TAPAS

Gwasg
Gwynedd

Argraffiad cyntaf — Mehefin 2012

© yr awduron unigol 2012

ISBN 978 0 86074 281 4

Mae'r cyhoeddwyr yn cydnabod cefnogaeth ariannol
Cyngor Llyfrau Cymru.

*Cyhoeddwyd gan
Wasg Gwynedd, Pwllheli*

Cynnwys

Y morfil a'r corrach

Bethan Gwanas

Pan roddodd Mark y tocynnau awyren i'r Maldives o flaen fy nhrwyn i, ro'n i'n methu deud gair. Aeth fy mhengliniau'n wan. Edrychais i fyw ei lygaid i wneud yn siŵr nad jôc oedd hi, nad oedd o'n tynnu nghoes i. Doedd o ddim; roedd o wir wedi prynu gwyliau yn y Maldives i ni. Ac wedyn mi 'nes i sgrechian.

'O mai god, Mark! Y Maldives?!'

'Dim ond y gora i'n *girlfriend* i, 'de?' gwenodd, cyn rhoi'r tocynnau ar y bwrdd ac agor ei freichiau'n llydan i mi gael lapio fy hun yn dynn amdano.

Do'n i 'mond wedi bod yn canlyn efo fo ers rhyw chwe mis, ond roeddan ni'n dau wedi gwhod o'r dechrau ein bod ni'n siwtio'n gilydd. Mae rhywun yn tueddu i gael ei ddenu gan rywun sy'n edrych yn debyg, tydi? Wel, ddim yn union yr un fath, jest o'r un 'teip'. Pishyn tal, ffit oedd yn chwarae pêl-droed i dîm dre oedd o, yn dal yr haul yn hawdd a ddim yn gorfod trio'n rhy galed efo dim. A finna? Wel, o'n i'n gwbod mod i'n hogan ddel. Pawb wedi deud hynny wrtha i rioed, ers pan fedra i gofio. Mam a Dad, y modrybedd i gyd, plant yn 'rysgol. Fi gafodd ran Mair yn y pasiant Dolig, a rhan Sandy pan wnaethon ni *Grease* yn yr ysgol uwchradd – er bod gan ferched eraill leisiau canu dipyn gwell, a bod yn onest. Byth ers hynny ro'n i'n gwbod bod sut ti'n edrych yn gallu agor drysau, felly do'n i byth yn gadael i'r sgêls fynd dros 8 stôn 6. Un pwys ychwanegol ac mi fyddwn i'n torri allan y siocled, yn cael wy 'di ferwi (heb dost) yn lle Crunchy Nut Cornflakes i frecwast, ac yn gweithio'n galetach yn y *gym* nes bydda petha fel roeddan nhw i fod eto. Ac mi fyddwn i wastad yn prynu dillad oedd yn tynnu sylw at fy nghoesau hirion i, a'r stumog fflat. 'Swn i 'di gallu gneud efo chydig bach mwy *up top*, fel maen nhw'n ddeud, ond ro'n i'n mwynhau chwarae pêl-rwyd bob nos Fawrth ac wedi gweld bod genod bysti'n edrych yn wirion pan fyddan nhw'n rhedeg a neidio, *sports bra* neu beidio. A thueddu i 'ddisgyn' mae'ch bronnau chi fel dach chi'n mynd yn hŷn, yndê, a do'n i'm isio *stretch marks*, diolch yn fawr. A ph'run bynnag, doedd Mark ddim yn cwyno mai dim ond cwpan 'C' o'n i.

Felly roeddan ni'n edrych yn dda efo'n gilydd, a'n ffrindia ni i gyd yn edrych yn dda efo'i gilydd hefyd. A deud y gwir, ro'n i'n synnu nad oedd o wedi gofyn i rai ohonyn nhw ddod efo ni, fel yr adeg yr aeth criw ohonon ni i Ibiza, pan aeth Mark a fi efo'n gilydd gynta rioed. Ro'n i'n rhyw fath o fynd efo Darren Harris bryd hynny, ond pan feddwodd hwnnw'n dwll a chael KO cyn chwech, es i i glybio efo'r lleill, a phan ddechreuodd Mark ddawnsio efo fi, 'nes i deimlo rwbath yn syth. Iawn, ro'n i'n teimlo'n chydig o ast yn ei snogio fo ar y traeth yn nes mlaen, ond doedd o'm fel taswn i a Darren wedi dyweddïo, nagoedd? Doeddan ni'm hyd yn oed yn canlyn go iawn, jest yn tueddu i landio efo'n gilydd ar ddiwedd y noson ar benwythnosau. A do'n i'n bendant ddim yn ei garu o.

'Nes i wirioni efo Mark yn syth bìn. Felly 'nes i ddeud wrth Darren y bore wedyn mod i'n dympio fo. Nath o'm llawer o ffys dros y peth – rhy sâl, dwi'n meddwl – a gafodd Mark air efo fo yn pnawn, 'man-to-man' math o beth, cyn dod i chwilio amdana i a mynd â fi am dro ar hyd lan môr, law yn llaw, a deud ei fod o wedi fy ffansïo i ers misoedd – cyn fy nghusanu i'n feddal, hyfryd nes i'r haul fachlud. A dyna ni, roeddan ni'n canlyn.

Ond i sbario rhwbio trwyn Darren ynddi, doedd Mark ddim efo fi trwy'r dydd, bob dydd am weddill y gwylia, chwarae teg; roedd o'n dal i chwarae pêl-droed efo'r hogia, ac yn prynu rownds efo nhw, gan adael i ni'r genod neud be oeddan ni isio tan . . . wel, tan i'r awydd gydio, am wn i!

Pan ddaethon ni'n ôl adre, roedd hi'n hawdd setlo i drefn canlyn: ffonio'n gilydd bob nos a gweld ein gilydd o leia bum gwaith yr wythnos, oni bai ei fod o'n gorfod mynd i ffwrdd ar gwrs efo'r gwaith. Mynd allan efo cyplau eraill fydden ni gan amla, ond hefyd yn cael ambell noson ramantus, jest fi a fo, fatha Noson Santes Dwynwen a Valentine's, neu ambell noson yn pictiwrs. O, a gawson ni benwythnos yn y Lake District unwaith, ond nath hi biso bwrw bob dydd, felly ar wahân i grwydro siopau bach ciwt, yn y gwely fuon ni bron drwy'r amser. Ond do'n i'm yn cwyno! Dyna pryd 'nes i benderfynu mod i wedi syrthio mewn cariad efo fo – wrth sbio am hir arno fo'n cysgu, blew ei amrannau'n gysgodion hir ar ei groen brown o, a'i wallt o wedi cyrlio'n dywyll ar y gobennydd. A phan ddeffrodd Mark a sbio i mewn i'n llygaid i, dyna'r tro cynta iddo fo ddeud ei fod o'n fy ngharu i. Mi neidiodd fy nghalon i mewn i nghorn gwddw ac ro'n i isio crio, ro'n i mor hapus. Nath o dynnu nghoes i ei fod o ddim ond wedi deud hynna am ei fod o isio i mi neud panad iddo fo, ond ro'n i'n gallu darllen y sglein yn ei lygaid o.

A rŵan, roedd gynnon ni bythefnos cyfan ar ein pennau ein hunain! Waw! Pan ddeudis i wrth Jen, 'yn mêt gora, sgrechian nath hitha hefyd.

'O mai god, Linda! Mae o'n mynd i ofyn i ti ei briodi o

– garantîd! Fydd o 'di pacio modrwy yn ei gês o, watsia di!'

Ro'n inna wedi meddwl hynny'n syth, taswn i'n onest, ond do'n i'm isio cyfadda hynny i neb rhag ofn i mi gael fy siomi. Dwi bron yn ddau ddeg chwech, ac mae hanner fy mêts ysgol i wedi priodi'n barod, a finna ddim isio cael fy ngadael ar ôl. Doedd Mark a fi ddim wedi trafod petha fel'na o gwbwl, ond ro'n i wedi penderfynu ers sbel na fyswn i'n gwrthod tasa fo'n gofyn. Mi fysan ni'n gneud babis gorjys efo'n gilydd. Ond, rhag ofn nad dyna oedd gynno fo mewn golwg, jest pythefnos o hwyl, haul a how-di-dw oedd hwn am fod – ac os byddai o'n fwy na hynny, wel grêt. Eisin ar y gacen, 'de?

Do'n i rioed wedi teithio mor hir, mor bell o'r blaen. Ar ôl dod oddi ar yr awyren, roedd 'na fws i'r harbwr, wedyn cwch o fanno gymrodd oriau i gyrraedd ein hynys fach ni. Ond welson ni ddolffiniaid yn nofio o'n blaenau ni, felly ro'n i'n reit hapus, er mod i'n cysgu ar fy nhraed. Braidd yn dawedog oedd Mark; sâl môr, dwi'n meddwl, ond ei fod o'n gwadu hynny. Typical! Mae o wastad isio bod yr *alpha male* a dydi *alpha males* byth yn sâl, nacdyn? Ond dyna un o'r rhesymau pam ro'n i'n ei garu o – roedd o wastad mor gry, mor ddibynadwy.

Roedd o hefyd chydig yn flin pan welodd o bobl yn cyrraedd ein hynys hi ar *seaplanes*. Pobol efo mwy o bres na ni. Ond wedyn mi sylwodd o ar gwpwl rhyfedd yn trio dod oddi ar ein cwch ni: dyn bach tenau efo anferth o ddynes fawr dew. Roedd hi mor dew, roedd hi'n cael coblyn o drafferth i gamu oddi ar y cwch i'r lanfa, ac yn cydio'n dynn, dynn ym mraich ei gŵr (neu'i chariad, be bynnag oedd o), a hwnnw ac o leia bedwar o'r dynion lleol yn trio'i helpu a'i hannog. Greadures. Poeni na fyddai'r bont bach bren yn dal ei phwysau roedd hi, dwi'n meddwl.

'Sbia golwg,' chwarddodd Mark. 'Two Ton Tessie, myn diawl. Gobeithio na fydda i'n gorfod gweld honna mewn bicini . . .' Rois i bwt iddo fo, a hanner chwerthin, wedyn teimlo'n euog achos ro'n i wedi gweld bod 'na ddagrau yn ei llygaid hi.

Roedd ein *villa* ni'n fach ond yn hyfryd, efo blodau wedi'u gosod yn ddel dros y gwely. A reit o'i flaen o roedd gynnon ni hanner cylch o draeth bychan i gyd i ni'n hunain, efo hamoc yn crogi yn y coed oedd rhyngon ni a'r adeilad drws nesa. Aethon ni i newid yn syth er mwyn neidio i mewn i'r môr, ac roedd o fel paradwys, yn glir a glân a chynnes, efo pysgod bach glas a melyn llachar yn nofio o gwmpas ein traed ni.

Ro'n i'n arnofio ar fy nghefn, yn mwynhau teimlo'r haul ar fy wyneb pan glywais i Mark yn piffian chwerthin.

'O na . . . gesia pwy sy drws nesa i ni – y morfil a'i chorrach!' Roedd y dyn bach yn sgleinio'n wyn mewn tryncs rhy fawr iddo fo, yn padlo at ei benglinia yn y dŵr o flaen eu traeth nhw. Ond doedd 'na'm golwg ohoni hi.

Doedd 'na'm golwg o'r un o'r ddau amser swper, chwaith, ond mi welson ni weinydd yn mynd â llond troli o blatiau efo ffoil drostyn nhw i fyny'r llwybr tuag at y *villa*.

'Diolch byth,' meddai Mark, ''swn i'm isio gweld honna'n stwffio'i gwynab o mlaen i, 'sa beryg i mi chwdu.'

'Paid â bod yn gas,' meddwn innau, wrth frwydro efo cimwch mawr seimllyd. 'Swil ydi hi, mae'n siŵr, 'de. Mae'n rhaid bod rhywun o'r maint yna'n uffernol o *self-conscious*, bechod.'

'Bechod?! Ei bai hi ydi o, 'de? Sneb ond hi'i hun wedi stwffio'r holl fwyd 'na i lawr ei chorn clag hi, nagoes?

Damia hi, dwi jest ddim yn dallt sut ma neb yn gallu bod
â chyn lleied o hunan-barch i adael i betha fynd mor bell
â hynna. A meddylia – sut ddiawl nath hi ffitio i mewn i
sedd ar yr awyren?!'

'Dwi'm yn cofio'i gweld hi ar yr awyren. Mae'n rhaid
eu bod nhw'n y rhan Dosbarth Cynta – ma seddi'n fwy yn
fanno, tydyn?'

'Siŵr o fod. Ond does 'na'm golwg gallu fforddio
Dosbarth Cynta arnyn nhw, nagoes? A'r argol, sna'm posib
bod y tŷ bach yn anferthol chwaith – mae'n rhaid ei bod
hi wedi gorfod croesi'i choesa'r holl ffordd!' Roedd o'n
meddwl bod hynna'n hynod o ddoniol, ac mi chwarddodd
yn uchel nes bod pobol yn troi i sbio arnan ni. Do'n i'm
yn meddwl ei fod o mor ddoniol â hynny, ond ddeudis
i'm byd.

Dros y dyddiau nesa, mi fuon ni'n nofio, yn torheulo ac
yn snorclo, a gawson ni hyd yn oed chydig o wersi sgwba.
Roedd gen i ofn ar y dechra, yn enwedig pan oeddan ni'n
gorfod clirio'n masgiau dan dŵr, ond unwaith ddois i i
arfer, ro'n i'n rêl boi. Wedyn roedd 'na fyd newydd
rhyfeddol o swnllyd a lliwgar yn agor i fyny i mi:
parrotfish amryliw yn crenshian fel Nain efo'i pholo mints
yn capel, *angelfish* du a gwyn yn sbio'n hurt arna i, pysgod
oren, piws, coch a melyn llachar, bach a mawr a phob siâp
dan haul yn berffaith hapus i rannu eu byd efo ni, ac
unwaith, siarc hir, main yn bell oddi tanon ni.

Ro'n i isio gneud mwy o sgwba ond roedd Mark wedi
cael digon, medda fo, a ph'run bynnag, roedd o'n ddrud.
Yn dawel bach, ro'n i'n amau mai braidd yn nerfus oedd
o; doedd o byth yn edrych yn hapus lawr fanna, a'i
freichia'n troelli fel helicoptars bach. Doedd o'm yn hapus
yn cael dyn yn dal ei law o dan dŵr, chwaith.

'Teimlo'n *gay*,' meddai, 'a dwi'm yn blydi *gay*. Ty'd, awn ni i orwedd yn yr haul eto, yli, dwi'n meddwl mod i'n barod i fynd lawr i Ffactor 5 rŵan.' Roedd o'n sicr yn brownio'n ddel, a'i gefn llydan o fel cneuen. Ro'n i wrth fy modd yn taenu hufen drosto fo, yn teimlo'r cyhyrau dan fy mysedd. Yr unig beth oedd, roedd o'n teimlo'n horni bron yn syth wedyn, ac yn mynnu'n bod ni'n ei neud o'n syth, yn yr awyr agored. Dwi'n gwbod bod y coed a'r deiliach yn gwneud ein traethell fach ni'n eitha preifat, ond mi fysa unrhyw un wedi gallu'n gweld ni o'r môr, felly ro'n i'n methu ymlacio'n iawn a ddim yn mwynhau rhyw lawer.

'Allwn ni'm mynd i'r *villa*?' sibrydais yn ei glust y tro cynta.

'I be? Fama gymaint mwy rhamantus, tydi?'

'Ond be 'sa ni'n cael ein dal?'

'Dyna sy'n ei neud o'n fwy ecseiting, 'de!' Do'n i'm yn gweld bod 'rhamantus' ac 'ecseiting' yr un peth o gwbl, a fyswn i'm yn galw tywod yn mynd i lefydd annifyr yn rhamantus o gwbl, ond benderfynis i gau ngheg a chau fy llygaid yn dynn nes roedd o drosodd. Peidiwch â ngham-ddallt i, dwi'n mwynhau rhyw gystal ag unrhyw un, ond dwi *yn* meddwl bod 'na le ac amser i bob dim – ac yn breifat, dan do mae hynny. A taswn i'n onest, dwi'n ymlacio mwy os dwi newydd gael bath neu gawod yn gynta.

Pan gawson ni wahoddiad i fynd i hwylio ar gatamarán efo cwpwl arall, roedd Mark wedi cynhyrfu'n rhacs – roedd 'na wynt reit gryf wedi codi. Ond penderfynu jibio wnes i; ro'n i wedi eu gweld nhw'n troi drosodd fwy nag unwaith a do'n i'm yn ffansïo hynna, diolch yn fawr. Beth bynnag, ro'n i wedi dod â dwy nofel fawr dew efo fi, ac yn benderfynol o ddarllen y rheiny cyn mynd adre. Does gan Mark byth fynadd i ddarllen; jest cysgu neu wrando ar ei iPod fydd o pan mae o'n gorwedd yn yr haul – pan fydd o ddim isio'i damed. Mi gawn i rywfaint o lonydd am y pnawn rŵan, siawns.

Wedi setlo ar ein traeth bach preifat, efo potel o ddŵr a phaced slei o ffags (dydi Mark ddim yn licio ngweld i'n smocio) – a phaced o Polos rhag ofn i Mark gyrraedd 'nôl cyn i mi gael cyfle i llnau nannedd – mi orweddais ar fy mol efo nofel ddiweddara Marian Keyes. Ro'n i ar y drydedd bennod a f'ail ffag pan glywais i sŵn gweiddi o'r lanfa. Roedd 'na rywbeth wedi digwydd. Y catamarán? Mark?! Clymais fy wrap amdana i a brysio ar hyd y llwybr.

Roedd 'na dwr o bobl yn sefyll ar y traeth a dau o'r staff yn cychwyn allan i'r môr ar gwch modur. A dim golwg o gatamarán. Wrth i mi frysio at y criw i holi oedd Mark mewn trwbwl mi welais i hi – y ddynes fawr dew, yn crio ar y lanfa. Roedd dau o'r staff efo hi, yn ceisio'i chysuro. Ond y cwbwl allai hi neud oedd crio, a syllu allan i'r môr, yn crynu.

Erbyn dallt, roedd David, ei chymar, wedi mynd allan ar lilo – ac wedi diflannu. Doedd hi'm wedi'i weld o ers dwyawr. Roedd hi jest yn sefyll yno, yn crio, ac yn troi weithia at un o'r dynion, a deud,

'He's dead, drowned, I know he is. I said we shouldn't have come . . . I told him. Now he's dead . . .'

Ro'n i isio mynd ati, ond 'nes i ddim. Dwi'm yn siŵr iawn pam. Ond wel, do'n i'm yn ei nabod hi, nago'n? A be fyswn i wedi gallu'i ddeud wrthi?

Ond yna, dyma ni'n gweld catamarán ar y gorwel. A phan gyrhaeddon nhw'r lan, roedd Mark arno fo – a David, wedi llosgi'n binc llachar – yr un lliw â'i lilo.

'Roedd o 'di syrthio i gysgu arno fo. Twat,' meddai Mark.

Ond sbio arni hi ro'n i, yn gwasgu David ati, bron â'i lyncu. Yn crio drosto fo, yn deud drosodd a throsodd ei bod hi'n ei garu. Er eu bod nhw'n edrych yn hurt a phathetic, aeth o at fy nghalon i.

Roedd Mark wedi gwirioni efo'r catamarán, felly mi aeth o allan eto'r bore wedyn, yn gynnar iawn, ond ro'n i'n reit hapus i orweddian efo Marian Keyes a byd cosmetics Manhattan.

Ro'n i newydd droi ar fy nghefn pan glywais i leisiau drwy'r coed. Dafydd a Goliath eto. Roedd o'n ceisio'i hannog hi i mewn i'r dŵr, a hithau jest isio aros yn y *villa*. Doedd dim angen iddi fod ofn, medda fo, mi fydda fo'n edrych ar ei hôl hi . . .

Allwn i ddim peidio. Mi godais yn dawel, ofalus, i sbecian drwy'r dail. A dyna lle roedden nhw: fo yn ei dryncs llac a gweddill ei gorff yn binc llachar a thalpiau o eli gwyn wedi'i blastro drosto fo, hithau mewn wrap gwyrdd a melyn o'i thraed i'w cheseiliau. Roedd o'n cydio yn ei llaw, yn ei thynnu fesul cam at y môr.

'You'll love it, Mary, I know you will. It's so warm and clean. Just like a big bath.'

'Just about big enough for me, then,' meddai hi gan wenu'n nerfus. Diflannodd y wên pan aeth ton fechan dros ei thraed. Ond roedd o'n sefyll o'i blaen hi, yn bagio'n ôl yn ara bach i mewn i'r dŵr, yn gwenu arni, yn ei hannog, yn cydio'n dynn ynddi. Ac roedd ganddi hithau ffydd ynddo fo. Er gwaetha'i hofn roedd hi'n symud efo fo, ac yn y dŵr at ei phengliniau. Tynnodd yntau ei sylw at y pysgod bychain o gwmpas ei fferau. Na, doedden nhw'm yn mynd i'w brathu hi. Chydig bach pellach eto . . .

'Chydig bach pellach eto,' gweddïais. Ac yna roedd hi at ei chanol, a'i breichiau am ei wddw. Mae'n rhaid bod hynna'n brifo'i groen amrwd o, ond ddywedodd o'm byd, dim ond gwenu'n annwyl arni a sibrwd rhywbeth yn ei chlust. Llwyddodd i'w pherswadio i bwyso mlaen yn y dŵr, gan ddal ei freichiau oddi tani.

'There you go, Mary, you're swimming!' Roedd ei chorff mawr gwyrdd a melyn yn arnofio'n hawdd – oedd yn ffodus, gan ei fod o'n cael trafferth i gadw'i geg uwchben y dŵr yn ogystal â chadw'i freichiau o dan ei stumog hi. Roedd hi'n cicio'i thraed rŵan, yn chwerthin. Roedd ganddi chwerthiniad hyfryd, fel un plentyn.

Roedd hi'n hapus i adael iddo'i thynnu trwy'r dŵr gerfydd ei dwylo, a'r ddau'n chwerthin, yn chwerthin go iawn. Yna fe dynnodd hi ato a'i chofleidio'n dynn.

'I really love you, Mary.' Cwpanodd hithau'i wyneb efo'i bysedd bach tewion.

'I really really love you too, and I really think I might love swimming!'

'I knew you would.'

'And I really think this might be a good place to make love . . .'

Be?! Doedden nhw rioed yn mynd i gael rhyw yn y dŵr – rŵan – reit o mlaen i?! Wel, reit o flaen eu traeth nhw, ond ro'n i'n gallu gweld drwy'r dail, doeddwn! Camais yn ôl yn o handi. Do'n i'm isio gweld mwy. Do'n i ddim yn *voyeur*. A doedd be bynnag roedden nhw am ei wneud ddim yn mynd i fod yn brydferth. Do'n i'm isio'u clywed nhw, chwaith, felly cydiais yn fy llyfr a mhotel ddŵr a cherdded yn ofalus yn ôl at y *villa*.

Mi fues i'n gorwedd ar y gwely am sbel, yn methu cael be ro'n i wedi'i weld a'i glywed allan o'm meddwl. Doedd hi rioed wedi dysgu nofio, felly ma'n bosib ei bod hi wedi bod yn hogan fach dew erioed ac yn rhy swil i fynd i gael gwersi nofio. Ac mi fyddai'n cymryd tipyn o gyts iddi fynd i unrhyw bwll nofio cyhoeddus bellach. Ond roedd hi wrth ei bodd yn y dŵr yna. Ro'n i'n dal i fedru clywed ei chwerthiniad plentyn.

Do'n i fy hun ddim wedi chwerthin fel yna ers . . . wel, ers pan o'n i'n blentyn. A doedd Mark rioed wedi sbio arna i fel roedd David yn sbio arni hi. Sythais yn sydyn. Do'n i rioed yn genfigennus? O gwpl fel'na?! Na, roedd y syniad yn hurt. Mi fysa'n well gen i farw nag edrych fel honna.

Ond wedyn, fues i'n pendroni tybed sut roedden nhw wedi cyfarfod? Be oedd wedi'u denu at ei gilydd, achos doedd yr un o'r ddau yn *oil painting*. A be goblyn oedd wedi gneud iddyn nhw syrthio mewn cariad efo'i gilydd? Oedden nhw wedi priodi? Oedden nhw, fel bron pawb arall ar yr ynys yma, ar eu mis mêl? Ro'n i ar dân isio gwbod, ond doedden nhw byth o gwmpas i gael sgwrs efo nhw; roedden nhw'n cadw eu hunain iddyn nhw'u hunain a do'n i ddim yn gallu picio draw i fenthyg chydig o siwgwr, nago'n?

Wnes i'm sôn gair wrth Mark be ro'n i wedi'i weld. Fyddai ganddo ddim diddordeb, beth bynnag; roedd o'n llawn o hanesion yr hwylio, faint o wefr oedd bod ar y *trapeze*, yn trio cadw'r catamarán rhag troi, yn pwyso'n ôl mor bell fel bod ei ben o'n cyffwrdd y dŵr. Roedd ei lygaid o'n bendant yn sgleinio mwy nag arfer, yn enwedig pan aethon ni i'r bar efo Paul a Lorraine, ei ffrindiau newydd. Mi yfodd ormod, ac mi fuo'n rhaid i mi fwy neu lai ei gario fo adre. Mi chwydodd ei berfedd dros lawr y stafell molchi, a fues i'n llnau ar ei ôl o am oes. Wel, doedd *o*'m yn mynd i neud, nagoedd?

Allwn i'm peidio â meddwl y byddai David wedi llnau ar ei ôl. Mae'n siŵr ei fod o'n mynd â phaned i Mary yn ei gwely hefyd. Fi oedd wastad yn mynd â phaned i Mark, am ryw reswm.

Roedd o'n rhy sâl i godi y bore wedyn, felly es i am snorcl bach tawel o flaen ein traethell ni. Doedd dim ond rhaid i mi nofio allan am ryw hanner can metr, ac roedd y cwrel oddi tana i'n berwi o bysgod o bob math. Fues i'n sbio arnyn nhw am oes. Pan godais i mhen i weld lle roedd y traeth, roedd Mary a David yn y dŵr eto. Mi fyddai'n anghwrtais i beidio â'u cyfarch wrth nofio'n ôl, felly dyna wnes i – codi fy llaw a galw 'Haia' wrth dynnu'r masg oddi ar fy mhen. Ges i ddau 'Helô' bach swil yn ôl. Mi fentrais i ddeud hefyd bod y dŵr yn hyfryd. Oedd, bendigedig. Roedd fy hyder yn codi, felly es amdani.

'Here on your honeymoon are you?' Dau nòd a dwy wên swil. A dyma'r un cwestiwn 'nôl i mi. Na, 'di o'm wedi gofyn i mi eto.

'So why don't you ask him?!' chwarddodd Mary. Chwarddais yn ôl, codi llaw arnyn nhw a chamu allan o'r dŵr. Y peth ydi, meddyliais i mi fy hun, dwi'm yn siŵr ydw i isio'i briodi o.

Doedd 'na'm golwg ohono fo yn y *villa*. Rhaid ei fod o wedi mynd am frecwast, felly ar ôl cawod sydyn, es i i fyny'r llwybr am y tŷ bwyta. Roedd o yno, efo Paul a Lorraine. 'Nes i drio gwenu arnyn nhw, ond do'n i ddim yn hapus. Roedd o'n treulio mwy o amser efo'r rhain nag efo fi! Brathais fy ngwefus. Ro'n i'n genfigennus o'r ddau yma rŵan eto! Be oedd yn bod arna i?

'Mae 'na drip heno,' meddai Mark – yn Saesneg, *for the benefit of his English friends* – 'i sgota oddi ar gwch yn twllwch. 'Dan ni am fynd. Ti ffansi?'

Ni. Y nhw oedd y 'ni', nid fi a fo. Doedd gen i'm isio sgota mwy na chic yn fy nhin, ond mi gytunais. Roedd darllen am fyd colur Efrog Newydd yn dechra deud arna i.

Roedd y sgota'n fwy o hwyl na'r disgwyl. Yn un peth, roedd Mary a David yno hefyd.

'Lwcus ei fod o'n gwch mawr,' meddai Mark. Twat. Felly es i i eistedd wrth ochr Mary. Roedden ni i gyd wedi cael darn o bren efo cortyn neilon hir wedi'i lapio amdano, a bachyn ar y blaen. Gollwng hwnnw i lawr i'r dyfnderoedd tywyll wnaethon ni, a sgwrsio wrth ddisgwyl i rywbeth ddigwydd. Ddalies i'm byd, ond roedd Mary'n dal un sgodyn lliwgar ar ôl y llall – mwy na neb, mwy na Mark. A 'di o'm yn licio colli, hyd yn oed pan nad ydi hi'n gystadleuaeth. Ond ro'n i wrth fy modd yn ei gweld hi'n blodeuo, yn tyfu'n fwy hyderus, yn gwenu ar ddieithriaid.

Yn sydyn, sgrechiodd Lorraine. Roedd rhywbeth mawr newydd gyffwrdd ei choesau hi yn y dŵr. Wel, be oedd hi'n ddisgwyl, yn gadael iddyn nhw hongian dros yr ochr fel'na? Pan saethodd pelydrau'n tortsh fawr ni dros yr ochr, daliodd pawb eu gwynt. Siarc morfil! Rhyw wyth metr, os nad mwy, o smotiau gwyn ar hyd ei gefn, a cheg o leia fetr ar draws. Roedd o'n anferthol, yn hyfryd, a jest yn nofio rownd a rownd y cwch yn araf, araf.

'It's enormous!' chwarddodd Mark. 'Even bigger than you, Mary!'

Ro'n i isio'i gicio fo. Y bastad. Y bastad dideimlad, hyll. Ymddiheurais wrth Mary a David.

'Doedd hynna ddim yn ddigri,' medda fi wrth Mark.

'Oedd, tad. *Chill out*, Linda!' meddai gan droi at ei ffrindiau efo gwên 'sbiwch be dwi'n gorfod ei ddiodda'.

'Swn i'n licio taswn i'n gallu deud mod i wedi rhoi anferth o hergwd iddo fo, nes ei fod o'n hedfan dros yr ochr, i mewn i'r dŵr wysg ei gefn. Ond 'nes i ddim. Y cwbl 'nes i oedd ei anwybyddu o a chorddi am weddill y gwyliau, a thalu am fwy o wersi sgwba – i mi – efo ngherdyn credyd i.

Mae o efo rhyw hogan arall sy'n fwy o'i deip o rŵan:

hogan sy'n edrych yn union yr un fath â fi – a fo. Ond neith o byth, byth edrych arni hi fel mae David yn sbio ar Mary.

Coctel Catalwnia

Ioan Kidd

Agorodd Rhys y ffenest henffasiwn yn fflat ei chwaer a gwylio'r mynd a dod di-baid yn y stryd fach oddi tano. Fel hyn yn union roedd hi'r tro diwethaf iddo ddod i aros at Rhiannon, fe gofiodd: degau ar ddegau o bobl, rhai'n gwibio'n ddi-lol o siop i siop a'u bryd ar gyflawni neges sydyn, eraill yn fwy hamddenol neu'n fwy simsan ar eu traed, gan aros bob yn ail gam, bron, i dynnu sgwrs â chymydog neu i fwytho ci difater. Actorion, bob un, yn y sioe a berfformiwyd beunydd ers canrifoedd yn y rhan hynafol hon o Barcelona. Ac ym mhobman, sŵn bywyd yn ei holl ogoniant yn diasbedain rhwng y muriau Gothig.

Rhwtodd ei wallt gwlyb â'r tywel a adawyd iddo gan ei chwaer cyn iddi fynd i'r swyddfa, ac yna fe'i lapiodd am ei ysgwyddau noeth i'w helpu i herio'r awel fain. Roedd Rhiannon wedi'i rybuddio bod y tywydd yn gallu bod yn anwadal yn ei dinas fabwysiedig ym mis Hydref. Taflodd gip ar y patshyn cul o awyr rhwng yr adeiladau tal, a gweld mai llwyd bygythiol oedd ei liw. Roedd hi'n iawn, felly – ond roedd Rhiannon wastad yn iawn. Cilwenodd Rhys wrth ystyried hyn. Arferai dybio mai amseriad mympwyol eu geni oedd wedi rhoi ei hyder iddi. Hi enillodd eu ras i gyrraedd y byd, a hynny o dair munud ar ddeg. Ond roedd yn ddigon iddi deimlo goruchafiaeth oesol dros ei gefaill, a llwyddodd i ddal ei gafael ar y fantais honno trwy gydol eu plentyndod.

Ni allai Rhys gofio pryd yn hollol y dechreuodd e sylwi ar hyn, ond gyda phob blwyddyn fe dyfodd y bwlch fymryn, ac, o dipyn i beth, daeth yn gyfarwydd ag ildio'r bêl iddi'n ddirwgnach. Fel gydag unrhyw bartneriaeth orfodol, doedd dim lle i fwy nag un aelod penstiff yn y tîm. Eto, roedd y grym a'u clymai ynghyd yn fwy pwerus na'r hyn a'u cadwai ar wahân. Wedi'r cwbl, roedd eu partneriaeth arbennig wedi dechrau yn y groth, yn gynnar – fel rhywbeth cyfrin. Ati hi y byddai'n troi o hyd mewn cyfyngder, ac ato fe y byddai hithau'n troi i gael sêl ei fendith, er gwaethaf ei hyder. Onid dyna'n rhannol pam roedd e wedi dod yma nawr, i roi sêl ei fendith ar ei dyn diweddaraf? Llwyddai Rhiannon i gipio'r sylw hyd yn oed ar ôl symud i fyw i Gatalwnia, neu yn hytrach oherwydd ei bod hi wedi gwneud yr union beth, efallai.

Caeodd Rhys y ffenest a chroesi'r llawr pren at ei wely dros dro ar y soffa. Plygodd y *duvet* a'i osod yn daclus gyda'r gobennydd yn barod at heno. Yna, dewisodd grys-T melyn a phâr o jîns glân, a gwisgo'n frysiog. Gwibiodd ei lygaid dros y trugareddau benywaidd ond chwaethus a addurnai lolfa Rhiannon: canlyniad pedair blynedd o ennill cyflog da mewn gwlad a roddai fwy o bwys na Chymru ar geinder gweledol, meddyliodd. Gwlad geiriau oedd Cymru, ac roedd hi'n prysur golli hyd yn oed y rheiny. Yn sydyn, glaniodd ei olygon ar nodyn a ysgrifennwyd ar hast yn llawysgrifen amlwg ei chwaer.

Hola, fy mrawd
Os wyt ti'n chwilio am rwbeth i'w wneud yn ystod y dydd, mae'r Palau de la Música Catalana'n werth ei weld. Hud a lledrith dilyffethair. Pensaernïaeth anhygoel. Falle dysgi di rwbeth! Tan 7 o'r gloch yn Boadas. Paid â bod yn hwyr!
Rh xx

Stwffiodd y nodyn i boced ôl ei jîns a mynd am y drws, gan ddewis anwybyddu ei chyngor twristaidd a'i rhybudd blaenorol ynglŷn â'r tywydd chwit-chwat. Roedd e'n ddyn yn ei oed a'i amser a gallai benderfynu drosto'i hun. Ond ni pharodd ei brotest yn hir a throdd yn ei ôl a chydio yn ei siaced ddu, rhag ofn. Roedd hi'n anodd anwybyddu chwe blynedd ar hugain o fyw yn ei chysgod, waeth pa mor nawddoglyd oedd y cyngor. Caeodd y drws yn glep ar ei ôl a rhedeg i lawr y grisiau tywyll, ddau ris ar y tro, cyn camu allan i'r ddrysfa o strydoedd cul ac ymuno â'r llif o bobl a welsai'n gynharach o'r ffenest.

Roedd rhai ohonyn nhw'n dal i gloncan â'u cymdogion. Ceisiodd Rhys wrando ar ambell sgwrs wrth gerdded heibio, ond ni ddeallai'r un gair o'r Gatalaneg a siaraden nhw. Hyd yn oed yma, yn Barcelona ryngwladol, anferth, yr iaith leol oedd â'r llaw drechaf. Meddyliodd am gadarnleoedd honedig y Gymraeg, a'i chael hi'n anodd ei argyhoeddi ei hun mai'r iaith honno a gâi ei chlywed flaenaf ar strydoedd Aberteifi neu Fangor bellach. Chwythodd y gymhariaeth o'i ben yn ddiamynedd. Doedd e ddim yn mynd i ddechrau cymharu, meddyliodd. Gwelodd gaffi bach tywyll ar gornel y stryd ac aeth i mewn yn fodlon. Roedd e ar lwgu.

Peidiodd y sgwrsio rhwng ffyddloniaid y caffi yr eiliad yr agorodd y drws a chroesi'r trothwy i'w gwâl. Nawr, wrth iddo anelu am ford fach i un yn ymyl unig ffenest yr ystafell ddi-raen, daeth Rhys yn ymwybodol bod sawl pâr o lygaid yn ei ddilyn. Tynnodd y gadair yn ôl a theimlo'n euog wrth glywed y coesau'n crafu'n swnllyd ar y llawr teils. Gwyddai ei fod yn torri ar draws y patrwm derbyniol, fel hwyrddyfodiad yn tarfu ar oedfa capel. Eisteddodd gan bwyso'i benelinoedd ar y ford ac aros i rywun ddod i gymryd ei archeb. Roedd gwynt coffi braf yn llenwi'r lle, ond fel arall doedd fawr o reswm iddo ganmol dim byd. Lle bach lleol oedd hwn. Lle preifat, fel clwb i ddynion nad oedd erioed wedi rhodio ymhell o olwg y strydoedd hyn. Crwydrodd ei lygaid draw at y perchennog bochdew y tu ôl i'r cownter hir a gweld bod hwnnw'n bygwth gwneud rhywbeth treisgar i selsigen drwchus, ddu, tebyg i bwdin gwaed, a llafn ei gyllell yn fflachio o dan y stribed o olau gwyn uwch ei ben. Edrychodd ar hen ddyn yn glafoerio dros y saig arfaethedig a gâi ei pharatoi iddo. Pan gyfarfu eu llygaid gwenodd Rhys yn reddfol, ond ni ddaeth gwên yn ôl gan yr hen ddyn, felly edrychodd Rhys i ffwrdd yn frysiog. Dechreuodd ddifaru iddo ddewis y caffi hwn ar gyfer ei frecwast cyntaf. Ymhen ychydig daeth y perchennog bochdew i sefyll ym mhen draw'r bar ac amneidio ar ei gwsmer diarth â'i ben, ond ni ddywedodd yr un gair. Llygadodd Rhys y tapas ar y cownter hir o'i flaen, ond penderfynodd ei bod yn rhy gynnar i brofi'r fath greadigaethau danteithiol. Ni allai ddileu delwedd y pwdin gwaed o'i gof. Bodlonodd, felly, ar baned o goffi gwyn a dau *croissant* a'u bwyta'n dawel i gyfeiliant y cleber afieithus oedd wedi ailgychwyn o'i gwmpas wrth i'r ffyddloniaid golli diddordeb yn y dieithryn wrth y ffenest. Yfodd y coffi ar ei ben ac archebu un arall yn syth.

Ddeg munud yn ddiweddarach talodd am y cyfan a mynd am y drws. Taflodd gip wysg ei gefn ar yr hen ddynion surbwch a safai wrth y bar. Roedd eu sgwrs wedi tewi drachefn, fel petai siarad a gwylio 'run pryd yn dasg amhosib ei chyflawni. Edrychodd Rhys ar yr wynebau cras, rhychog cyn diflannu o'u golwg.

Roedd hi wedi dechrau bwrw glaw tra oedd e yn y caffi: glaw mân cynnes, di-ddim, ond roedd yn ddigon i wacáu'r strydoedd bach Gothig o'u prysurdeb blaenorol.

Gwenodd Rhys wrth ddychmygu'r ymgomwyr a'r siopwyr yn rhuthro dan do rhag y 'dilyw'. Yng Nghymru câi diwrnod fel heddiw ei ystyried yn un cymharol braf, meddyliodd, ond yma yn Barcelona dim ond y diwyro a'r digartref oedd yn dal i droedio'r cerrig llyfn. Cododd Rhys goler ei siaced a bwrw yn ei flaen. Ymhen ychydig cyrhaeddodd sgwâr bach. Fe a dau dwrist arall, yn ôl eu golwg, oedd yr unig rai oedd yno. Cododd ei olygon i chwilio am enw'r sgwâr yn y man arferol fry ym meini rhyw adeilad llwyd, ond y cyfan a welodd oedd tyllau bwledi: storm ohonyn nhw'n rhidyllu'r gwenithfaen. Crychodd ei dalcen wrth i'r sioc ei daro. Yn sydyn, llenwyd ei ben ag ysbrydion y gorffennol agos a'r gyflafan oedd yn sicr o fod wedi digwydd lle safai'r eiliad honno. Cofiodd iddo ddarllen unwaith fod trigolion Barcelona wedi dioddef yn enbyd yn ystod y Rhyfel Cartref.

Wrthi'n ystyried dewrder yr ymladdwyr gwrth-Franco a'u gobaith dall yn wyneb y lluoedd ffasgaidd roedd e pan ddaeth yn ymwybodol o bresenoldeb rhywun yn ei ymyl. Dihunodd ar unwaith o'i synfyfyrio a gweld bod menyw ifanc a babi yn ei breichiau yn sefyll wrth ei ochr. Gwisgai sgarff am ei phen a sgert hir, flodeuog hyd at ei thraed. Roedd ei hwyneb yn hardd ond yn fudr, fel ei dillad, ac roedd hi'n droednoeth. Cyfarfu llygaid Rhys â'i llygaid hithau, ond edrychodd y ddau i ffwrdd ar amrantiad. Daliai ei llaw o'i blaen a mwmial rhyw eiriau na ddeallodd Rhys mo'u hystyr, ond yn reddfol twriodd yn ei boced am arian gleision a'u harllwys i law'r fenyw gan ofalu peidio ag edrych i fyw ei llygaid drachefn. Caeodd honno ei bysedd am y darnau mân fel gwiwer yn bachu cneuen a cherdded yn ei blaen heb ddiolch iddo, ei hurddas yn ddilychwin.

Roedd popeth wedi digwydd o fewn llai na phum

eiliad, sylweddolodd. Edrychodd o'r newydd ar y tyllau bwledi, ond y cyfan a welai oedd llygaid brown tywyll y fenyw hardd yn ei serio'n drahaus. Ceisiodd Rhys benderfynu o ble y daethai a pham y bu iddi ddewis y ddinas hon o bobman yn y byd. Mewn oes amgen byddai wedi bod yn actores neu'n fodel, efallai, ond roedd tynged wedi poeri yn ei hwyneb o ddiwrnod ei geni a'i halltudio i fywyd ar y stryd a rhyw rygnu byw ymhell o'i chynefin. Roedd e'n falch na ddiolchodd hi iddo. Croesodd y sgwâr a'i feddwl yn ferw.

Byddai Rhiannon wedi'i ddwrdio am feddwl y fath bethau ffuantus, a byddai wedi gwneud sbort am ei ben. Hi oedd yr un bragmataidd bob amser, yr un â'i thraed ar y ddaear, tra oedd yntau – yr un tyner, yr un annwyl – wedi llithro i rôl y breuddwydiwr. Dyna'r rôl yr anogwyd e i'w chwarae pan ddaeth hi'n fwyfwy anodd i'w rhieni rannu eu canmoliaeth yn gyfartal. Roedden nhw wastad wedi ceisio'u trin yr un fath, gan chwilio am reswm dros longyfarch ei orchestion e ar y cae pêl-droed lawn cymaint â llwyddiannau ei chwaer yn yr ystafell ddosbarth. Bodlonodd yntau ar y rôl honno gan gwato y tu ôl i'r chwedl gyfleus bod merched wedi'u rhaglennu i wneud yn well yn academaidd na bechgyn yn yr oes newydd hon. Wedi'r cyfan, dyna a ddangosai pob arolwg, ac mewn byd a roddai gymaint o bwys ar ystadegau, rhaid credu arolygon. Ond doedd yr esgus hwnnw ddim yn ddigon da mwyach ac yntau wedi tyfu'n ddyn. Cilwenodd Rhys yn ddiarwybod wrth ystyried ei athroniaeth fyrfyfyr.

Trodd i'r chwith pan gyrhaeddodd groesffordd yn y labrinth o strydoedd bach, ac yna dilynodd lôn gul nes iddo gyrraedd y pen-draw. Roedd e wedi disgwyl y byddai 'na ffordd allan, ffordd ymlaen, ond doedd 'na ddim, a phan na allai fynd ymhellach safodd yn stond wrth y mur o'i flaen. Clywodd ei hun yn chwerthin wrth iddo sylweddoli ei fod mewn *cul-de-sac* ac y byddai raid troi yn ei ôl. Roedd yr amseru'n berffaith, meddyliodd. Chwarddodd eto, yn uchel, am eironi ei sefyllfa. Petai rhywrai eraill yno'r eiliad honno, bydden nhw wedi diflannu dan do a chloi'r drysau rhag y gwallgofddyn hwn, ond doedd neb yno i dystio i'w ymddygiad rhyfedd. Cerddodd yn ei ôl ar hyd y lôn fach gul a throi i'r dde. Nid dim ond er mwyn rhoi sêl ei fendith ar gariad newydd Rhiannon y daethai i Barcelona.

Roedd y glaw mân wedi peidio erbyn hyn, ond roedd yr awyr yn dywyllach ac yn dwysáu'r trymder yn y strydoedd cul. Clywodd sŵn ei esgidiau'n taro'n uchel yn erbyn y fflags gwlyb dan ei draed fel petai rhywun yn cael ei glatsio yn ei wyneb gyda phob cam. Pasiodd ddwy hen wraig a safai fraich ym mraich wrth ddrws hynafol, trwchus, yn sbio'n amyneddgar i ganol y cysgodion o'u blaenau, eu meddyliau'n sownd mewn cyfnod pell yn ôl. Gwisgai'r ddwy ddillad du o'u corun i'w sawdl, a synnai Rhys fod gweddwon Barcelona'n dal i gydymffurfio ag arferion cymdeithasol mor hunangaethiwus. Onid oedd gwledydd Catholig ar draws Ewrop yn araf droi eu cefnau ar gonfensiynau o'r fath ac yn agor eu llygaid? Ymlaen yr aeth Rhys, heibio siopau baco a siopau cerddoriaeth nad oedd wedi gweld cwsmer ers degawdau, yn ôl eu golwg, a heibio ffenestri llychlyd yn llawn stampiau neu hetiau henffasiwn gan ryfeddu at y nwyddau oedd ar werth. Daeth i stop o flaen arddangosfa o goesau ffug ac ysgwyd ei ben mewn anghrediniaeth. Ceisiodd ddychmygu pwy fyddai eisiau prynu'r fath greiriau amrwd ac aneffeithiol yn yr oes dechnolegol hon. Petai Rhiannon yno gydag e'r eiliad honno, byddai hi wedi'i bwnio'n chwareus ar ei fraich a gwneud rhyw sylw di-chwaeth bod siopau fel hyn ar gael er mwyn gwasanaethu pobl bathetig fel fe: pobl oedd yn methu sefyll ar eu traed eu hunain. Byddai yntau wedi taro'n ôl gyda rhyw 'ha blydi ha' tila, am na fyddai ganddo ateb mwy parod.

Yn sydyn sylweddolodd ei fod ar goll, yn gyfan gwbl ar goll. Wrth fentro'n ddiamcan ymhellach ac ymhellach i ganol y ddrysfa, roedd e wedi diffodd ei radar personol. Tynnodd nodyn Rhiannon o boced ôl ei jîns a darllen anogaeth bryfoclyd ei chwaer. *Falle dysgi di rwbeth!* Gwyddai sut i'w gorddi, hyd yn oed o bell, ond gwenodd Rhys er hynny. Fe âi i'r Palau de la Música Catalana yn unol â'i hawgrym, penderfynodd, yn enwedig os oedd y lle mor wych â hynny. Roedd e wedi cael llond bol ar grwydro.

Hanner awr yn ddiweddarach, safai gyda grŵp bychan o dwristiaid eraill yng nghanol neuadd gyngerdd ysblennydd y Palau, gan ryfeddu at gampwaith pen-saernïol Domènech i Montaner. Roedd yn gyfarwydd â'i enw, fel ag un Gaudí, o'i gwrs arlunio yn y coleg – y ddau yn rhai o feistri'r foderniaeth Gatalanaidd a yrrai'r ysbryd cenedlaethol newydd dros ganrif yn ôl, gan sicrhau na châi'r wlad hyderus hon ei dileu oddi ar fap y byd. Ffrwyth undod a gweledigaeth a dawn i danio dychymyg cenedl gyfan. Safai Rhys ar ei ben ei hun ar ganol y llawr uchaf ar ôl i weddill y grŵp symud yn eu blaenau gyda'r tywysydd. Syllai'n gegrwth wrth i'r goleuni naturiol amlygu'r ffantasi o'i gwmpas. Hyd yn oed ar ddiwrnod cymylog, llwyd fel heddiw, llifai'r goleuni drwy'r to gwydr a'r ffenestri ar hyd yr ochrau gan roi'r goedwig o liwiau ar dân. Ysbrydion a greai'r ffantasi, roedd e wedi darllen yn rhywle, ac roedd ysbrydion o'i gwmpas ym mhobman.

Crwydrodd drwy weddill y Palau heb gwmni'r lleill, cyn camu'n ôl i'r stryd unwaith eto ac i ganol haul mwy tanbaid nag a welsai erioed o'r blaen. Roedd llwydni'r oriau cynt wedi hen ddoddi a cherddai bellach fel petai mewn swigen o oleuni llachar. Trodd i'r dde, er na wyddai i ble roedd e'n mynd nac ar drywydd beth yn union. Bodlonodd ar ddilyn ei reddf, gan ildio i'w newid byd heb gwestiynu rhagor. Roedd ei gerddediad yn sionc er gwaethaf gwres newydd y prynhawn. Ymhen ychydig gwelodd fws deulawr, coch yn dod tuag ato: bws agored, di-do. Cododd ei law a stopiodd y cerbyd yn ufudd, ac eiliadau'n ddiweddarach dringodd y grisiau troellog, serth i'r llawr uchaf er mwyn gweld yn well. Ail-gychwynnodd y bws a pharhau ar ei daith, a Rhys yn fwy na bodlon cael ei gludo.

Cyn hir cyrhaeddodd y Sagrada Família eiconig, a chododd ar ei draed er mwyn troi gyda'r cerbyd a chadw eglwys Gaudí o flaen ei lygaid wrth iddo fynd heibio. Ceisiodd anwybyddu'r craeniau a'r sgaffaldiau, oedd yn gymaint rhan o'r safle bob tro y deuai i Barcelona i aros gyda Rhiannon, a chanolbwyntio ar y tyrau arallfydol o waith 'pensaer Duw'. Ymlaen yr aeth y bws ar hyd stryd lydan, hir. Yn sydyn, sgrechiodd breciau'r cerbyd a'i stopio'n ddirybudd, gan hyrddio Rhys yn galed yn erbyn y sedd. Ond o fewn eiliad roedd e'n penlinio arni ac yn edrych dros yr ochr ar y dorf fechan oedd wedi ymgynnull o gwmpas rhyw gardotyn a orweddai'n ddiymadferth ar y llawr. Credai Rhys i ddechrau mai'r bws oedd wedi'i daro ac roedd e ar fin mynd i lawr y grisiau i weld beth yn union oedd wedi digwydd, ond yr eiliad honno dechreuodd y cerbyd symud unwaith eto, felly pwysodd yn ôl yn ei sedd a lluniau'r ddamwain erchyll yn chwyrlïo yn ei ben.

Gwelodd Rhys y dyn cyn i'r dyn ei weld yntau. Ei het a welodd gyntaf, yna'i wyneb barfog. Nawr, a'r newydd-ddyfodiad wedi gorffen dringo i ben y grisiau serth, safai a'i gefn at flaen y bws gan edrych ar hyd y llawr uchaf i gyfeiriad Rhys. Edrychodd yntau i ffwrdd o barch i'r dyn oedrannus, ond trwy gil ei lygaid gallai weld ei fod yn cerdded tuag ato.

'Ga i ymuno â chi?' gofynnodd y dyn pan gyrhaeddodd y rhes lle'r eisteddai Rhys.

Gwenodd Rhys yn gwrtais er ei waethaf, cyn symud fymryn yn ei sedd i wneud lle i'r dyn eistedd yn ei ymyl. Teimlai'n anesmwyth bod y dieithryn hwn wedi dod yn unswydd tuag ato fe. Wedi'r cwbl, doedd dim prinder seddi gwag; doedd neb arall ar y bws ac eithrio'r gyrrwr a nhw ill dau.

'Hen ddamwain ofnadwy,' meddai gan dynnu ei het a'i gosod yn ei gôl. 'Mae'n beryg bywyd yn Barcelona erbyn hyn. Mae traffig ym mhobman.'

Aros yn dawel a wnaeth Rhys, a phwyso a mesur ei sefyllfa newydd.

'Ar wyliau ydych chi?' gofynnodd y gŵr oedrannus, yn benderfynol o dynnu sgwrs.

'Yn rhannol.'

'Yn rhannol? Dwi'n hoffi dirgelwch.'

Gwenodd Rhys am ben yr ateb coeglyd. Roedd e'n dechrau hoffi ei gyd-deithiwr ffraeth.

'Mae fy chwaer yn byw yn y ddinas, a dwi'n aros gyda hi am ddiwrnod neu ddau,' mentrodd, ar ôl ei argyhoeddi ei hun y gallai fforddio ymlacio.

'A beth ddenodd eich chwaer i Barcelona bell? Mae'n amlwg nad Catalaniaid mohonoch chi.'

'Mae ganddi swydd dda mewn cwmni rhyngwladol mawr yma yn y ddinas.'

'Rhaid bod eitha pen arni, felly.'

'Hi yw'r un ddeallus yn y teulu. Wastad wedi bod.'

Trodd Rhys ei ben er mwyn edrych ar yr olygfa y tu hwnt i'r bws. Sawl gwaith roedd e wedi clywed y geiriau hynny'n gadael ei wefusau? Sawl gwaith roedd e wedi teimlo pigiad yn ei fol?

'A beth am ei brawd? Beth yw'ch arbenigedd chi? Beth yw'ch diddordeb?'

'Fi? Does neb erioed wedi gofyn hynna i fi o'r blaen.'

Gwenodd yr hen ddyn a rhoi ei ddwylo i orwedd yn ysgafn ar ei het yn ei gôl. Edrych ar yr olygfa fel cynt a wnâi Rhys, ei eirlau diwethaf yn hofran yn yr awyr. Bu tawelwch rhwng y ddau am funudau lawer wrth i'r bws rygnu yn ei flaen ar hyd strydoedd y maestrefi ac allan i gyfeiriad Montjuïc. Yna, daeth y bws i stop yn annisgwyl, a chododd y dyn oedrannus ar ei draed.

'Mae fy siwrnai'n dod i ben fan hyn. Mae wedi bod yn bleser cael eich cwmni,' meddai, a gwisgo'i het unwaith eto.

Gwyrodd Rhys ymlaen yn ei sedd ac estyn ei law i'r hen ddyn. Gwenodd hwnnw a'i hysgwyd yn gynnes gan ddal ei afael ynddi cyn ychwanegu:

''Sdim raid inni fyw yng nghysgod neb, wyddoch chi. Ni biau'r dewis.' Yna, trodd a cherdded tuag at y grisiau cyn diflannu mor sydyn ag y daethai.

Ddeugain munud yn ddiweddarach disgynnodd Rhys oddi ar y bws yn Plaça de Catalunya, a cherdded yn hamddenol ar hyd y Rambla ar ei ffordd i gwrdd â'i chwaer. Roedd bar Boadas yn brysur, fel arfer, a sŵn siarad a dadlau brwd yn llenwi'r ystafell fach. Gwthiodd ei ffordd heibio i'r twristiaid a'r gweithwyr swyddfa oedd yn sefyllian mewn grwpiau o ddau neu dri ar ganol y llawr cyfyng, neu'n eistedd ar stolion uchel wrth y parwydydd llawn lluniau. Roedd pawb yn bictiwr o soffistigeiddrwydd. Eisteddai Rhiannon ar ei phen ei hun yn ymyl y bar yn sipian mojito.

'Ti'n hwyr,' meddai gan ffugio cerydd.

Gwenodd Rhys.

'Be gymri di?' gofynnodd hi gan godi oddi ar ei stôl, yn barod i gerdded y tri cham angenrheidiol i gyrraedd y bar.

'Yr un peth â ti. Mae eu mojitos nhw'n ddiarhebol.'

'Gwranda ar yr arbenigwr! Mae chwaeth dda gyda ti, rhaid cyfadde.'

'Ond tybed ydw inne'n mynd i allu gweud yr un peth amdanat ti? Ble mae e 'te, dy ddyn newydd di?'

'Mae e ar ei ffordd. Wedi cael ei ddal yn y traffig.'

Trodd Rhiannon a llwyddo i ddal sylw un o'r dynion y tu ôl i'r bar ar unwaith. Ni allai Rhys lai nag edmygu ei rhwyddineb a'i hyder. Archebodd mojito arall iddi'i hun ac un iddo fe.

'A shwt ddiwrnod ti 'di'i gael, fy mrawd?' gofynnodd wrth dincial eu gwydrau a mynd i eistedd ar ei stôl unwaith eto.

Edrychodd Rhys arni dros ei wydryn wrth iddo lyncu dracht o'i ddiod.

'Hm . . . mae'n anodd gwbod ble i ddechrau ateb hwnna. Gyda llaw, diolch am dy nodyn ac am awgrymu'r lle 'na – y Palau de . . .'

'Fe est ti, do? A be ti'n feddwl? On'd yw e'n anhygoel?'

'Arallfydol o anhygoel, fel popeth arall heddi – y caffi, y fenyw hardd â'r llygaid brown, y dyn ar y bws . . .'

'Pa fws? 'Sdim bysys wedi bod yn rhedeg heddi. Maen nhw ar streic – y bysys, y Metro, popeth . . . Mae'n anhrefn llwyr mas 'na. Dyna pam mae Xavi'n hwyr.'

'Rhiannon, dwi wedi bod rownd Barcelona ar fws. O'n i arno fe drwy'r prynhawn, iti gael gwbod. Ar y bws o'n i pan weles i ddamwain gas. Ar y bws y cwrddes i â'r hen ddyn.'

'Ond Rhys, doedd dim bysys heddi!'

'Dwyt ti ddim wastad yn iawn, ti'n gwbod. Fe weda i 'to – ar y bws y cwrddes i â'r hen ddyn. Buon ni'n . . . 'co fe fan 'na! Hwnna oedd y dyn! Fe yn y llun y tu ôl iti.'

Trodd Rhiannon ei phen i edrych ar y llun du a gwyn mewn fframyn arian a grogai ar y pared gydag ugeiniau o luniau eraill.

'Pwy? Hwn fan hyn?' gofynnodd, a phwyntio â'r llaw a ddaliai ei diod.

'Ie. Fe oedd yr hen ddyn.'

'Rhys, Antoni Gaudí yw hwnna. Fe gas e'i ladd bron ganrif yn ôl! Callia, wnei di? Mae Xavi newydd gyrraedd.'

Hir yw pob ymaros

Manon Eames

Mae ei llygaid gleision yn llawn bywyd ac yn pefrio'n ddisgwylgar arna i dros ymyl y cwpanaid cardfwrdd o de dwi newydd ei nôl iddi, wrth iddi sugno'n ofalus drwy'r twll yn y caead plastig rhag ofn iddi losgi ei hunan, a chymryd llond pig o'r cynnwys, fel aderyn. Mae'r cynnwrf yn amlwg ar ei hwyneb pert: cymysgedd o ofn a chyffro, pleser a phryder, wrth feddwl am yr antur sydd o'i blaen. Mae'n gwenu arna i. Dw inna'n gwenu yn ôl. Ar ôl yr holl gynllunio gofalus, y galwadau ffôn di-ri, y misoedd o drafod ac egluro, o bwyso a mesur – o'r diwedd, dyma ni.

Mae'r maes awyr yn hynod o dawel. Bore Llun o Dachwedd. Dim ond un rhes o deithwyr sydd wrthi'n cael eu prosesu wrth y desgiau cofrestru – y rhan fwyaf ohonynt yn mynd i sgïo, dwi'n nodi i mi fy hun wrth edrych ar eu cotiau cynnes a maint a siapiau trwsgl eu bagiau amryliw. Braf. Dydi'n desg ni ddim ar agor eto, fel ro'n i'n amau, am ein bod ni wedi cyrraedd yn rhy gynnar. Yn llawer rhy gynnar, a bod yn onast. Ond mae hi'n licio bod yn gynnar. Mae'n well ganddi gyrraedd mewn da bryd ar gyfer unrhyw achlysur (ac mae 'da bryd' yn golygu oriau cyn bod raid), ac yna lladd amser yn y fan a'r lle, yn hytrach na diodde'r gwewyr o orfod rhuthro i rywle ar bigau'r drain. Mae'n fy nharo, wrth eistedd yna wrth ei hochr, fod 'amser' yn beth eitha personol. I mi, sydd wastad ar garlam i rywle ac yn cwyno byth a beunydd nad oes yna ddigon o oriau yn y dydd i gyflawni popeth, mae aros am bethau (neu bobol) yn gallu peri rhwystredigaeth ddigon annifyr – ond i Anti Nada, yma'n eistedd yn ddigon bodlon a hamddenol wrth fy ochr, mae 'aros' yn llai o broblem na rhuthro. Ac mae yna rywbeth tawel a llonydd amdani, er gwaetha'i chyffro mewnol am y daith sydd o'n blaenau, sy'n gneud i minnau ymlacio. A 'dan ni'n dwy'n manteisio ar y cyfle mae'r sefyllfa yn ei gynnig i ni i . . . anadlu. Mae bwrlwm y trefnu a'r bwcio a'r pacio ar ben: heddiw, mae'r daith sydd o'n blaenau'n ffaith.

'Lle ma nhw'n mynd, ti'n meddwl?' mae hi'n gofyn, yn astudio'r neidr o deithwyr hanner ffordd i lawr y neuadd gofrestru. Dwi'n craffu ar yr arwydd uwchben y ddesg.

'Geneva . . . Sgio, mae'n debyg.'

'Ti'n meddwl? Wel, wel. Ddim i fi. Rhy bell. Rhy oer. Brrr.'

Mae hi'n smalio crynu, ac yna'n cymryd cegaid o'r *Danish pastry* yn ei llaw a'i gosod yn ofalus yn ôl ar yr hances bapur mae hi wedi'i thaenu ar yr handbag sydd wedi bod yn sownd ar ei glin ers iddi gyrraedd, cyn rhwbio'r briwsion mân yn daclus o gorneli'i gwefusau. A dw innau'n meddwl pa mor dlws ydi hi – trwsiadus a thlws – y llygaid gleision, a'r gwallt cyrliog golau yna fuodd wastad yn asgwrn cynnen rhyngthi hi a'i chwaer, fy mam, oedd â gwallt syth fel procar gydol ei hoes.

'Pryd fyddan nhw'n agor 'yn *check-in* ni, ti'n meddwl?'

'O, mewn rhyw hannar awr, ma siŵr.'

''Na fe. Digon o amser. Da iawn.'

'Ia. Digonedd o amser.'

Mae'n ochneidio'n ysgafn. Dwi'n edrych arni.

'Dach chi 'di blino, ydach chi?'

'Na. Na, dwi'n iawn cariad, diolch i ti.'

'Mwy o de, ia?'

'Na. Rhag ofn i mi fod isio pi-pi.'

'Ocê.'

Mae hi'n dawel eto. Yna,

'Ti'n siŵr bod y cês 'ma ddim yn rhy fowr?'

'Yndw.'

'A ma nhw'n gwbod am y troli cerdded, on'd y'n nhw?' Cyfeirio mae hi at y teclyn plygu tair olwyn sy'n gymorth cerdded iddi.

'Yndyn.'

'A be' fydd yn digwydd i hwnna, wedest ti?'

'Raid 'ni tsiecio fo i mewn rŵan, ac mi eith o i gefn yr awyren, efo'ch cês.'

'O, ia. Cofio ti'n gweud nawr. A pan y'n ni'n cyrraedd . . .?'

'Gawn ni o 'nôl, efo'r cês.'

'O, ia. 'Na fe. Dyna wedest ti wrtha i, on'd ife. Cofio nawr.'

Mae hi'n meddwl am eiliad, yna,

'Ond ma'n ffon gerdded i'n dod 'da ni, odi hi? Ddim gyda'r cês?'

'Yndi.'

'Gwd. Dyna sy ore.'

'Ia. 'Di hynny ddim problem. Fydd hi gen i.'

'Diolch i ti.'

Mae hi'n syllu ar y teithwyr eraill am funud, yna'n troi ata i drachefn. 'Wnân nhw'm colli'r troli cerdded, na wnân?'

'Na . . .'

'Mi fydde 'di canu arna i'r pen arall hebddo fe.'

'Peidiwch â phoeni. Mi fydd pob dim yn iawn.'

'Bydd, siŵr.'

Tawelwch am eiliad neu ddwy. Mae hi'n edrych i lawr

ar ei dwylo, yn gorffwys ar yr handbag yn ei chôl, yn bell yn ei meddyliau am ennyd. Yna mae'n troi ata i eto,

'Ma'r tocynne 'da ti, on'd y'n nhw?'

'Yndyn.'

'A ti 'di cadw mhasbort i'n saff?'

'Do. Dyma fo, ylwch – yn 'y mag i, efo'n un i.'

Mae hi'n gwenu'n sydyn rŵan.

'Un da wyt ti. Diolch i ti am drefnu popeth.'

Dwi'n gwenu'n ôl.

'A ti'n siŵr bod y cês 'ma ddim yn rhy fowr?'

'Yndw. Siŵr.'

Eiliad o dawelwch eto. Yna, mae hi'n estyn y cwpan de gwag tuag ata i, a dwi'n ei gymryd o. Mae hithau'n dweud yn dawel,

'Gafael yn 'yn llaw i, wnei di?'

A dyna dwi'n ei wneud.

Mae croen ei llaw yn feddal, feddal fel sidan, ac yn gynnes. Mae'n gwasgu fy llaw i'n ysgafn, ac yna'n troi ei sylw unwaith eto at astudio'r llinell o sgïwyr lliwgar a'u paciau anghyffredin, tra dw i, o gornel fy llygaid, yn ei hastudio hithau.

Mae'n siŵr mod i'n gwbod yn union beth sydd ganddi yn y cês bach yna wrth ei thraed. Mae hi wedi trafod y cynnwys efo fi – pob un dilledyn a philsen a ffisig a hylif – ddegau o weithiau ar y ffôn, wrth i ddyddiad ein trip agosáu. A dyma fi'n meddwl – dyma ddynes sydd wedi teithio'r byd, ar wyliau ac ar fusnes, wedi ymweld droeon nid yn unig â gwledydd Ewrop ond America, y Dwyrain Pell, y Dwyrain Canol, India, Affrica, ac yn enwedig Awstralia, lle mae ei merch fenga wedi ymgartrefu ers dros bum mlynedd ar hugain erbyn hyn. Serch hynny, mae hi'n fwy pryderus am ein siwrnai ni'n dwy heddiw, efallai, nag y buodd hi erioed ar ei theithiau draw dros yr Iwerydd, ac i bellteroedd hemisffer y de.

Do, mae hi wedi teithio'n bell. Ddim bore 'ma – o'i chartre ym Mryste yng nghar cymydog y dath hi i gwrdd â fi'r bore 'ma ym Maes Awyr Caerdydd. Ond mi gychwynnodd ei thaith 'o ddifri' ddegawdau yn ôl, ym Mhen-y-bont ar Ogwr, ar yr ail o Chwefror, mil naw dau dau – 2/2/22, dyddiad geni sydd yr un mor daclus a threfnus ag y mae hithau. Ac ydi, mae hi erbyn hyn yn naw deg oed. Ymysg yr hen luniau du a gwyn sydd gen i mewn albwm o atgofion roddodd Mam imi, mae yna lun ohoni hi – cwrlen o ferch fach benfelen, dlos – gyda fy mam oedd flwyddyn yn iau na hi, y ddwy mewn gwisgoedd nyrs a chroes fawr goch ar eu ffedogau a'u hetiau gwynion, yn sefyll ar ddarn o garped ar y lawnt o flaen y tŷ. Roedd eu mam nerfus mor ofalus a gwarcheidiol o'r ddwy, mi roddodd hi'r carped dan eu traed rhag ofn iddyn nhw ddal annwyd wrth i'w tad dynnu'r llun. Mae pryderu'n ddianghenraid yng ngwaed y teulu.

Ddaeth hi wedyn drwy galedi'r tridegau ym Mhontypridd, a thrwy flynyddoedd y rhyfel yn y brifysgol ym Mryste. Priododd bensaer ifanc ac uchelgeisiol, gan symud yn ôl i Gymru a Chaerdydd, wedyn i Ben-y-bont eto, yna i Fae Colwyn, ac yna yn ôl i Fryste. Geni dwy ferch a cholli un bachgen – a'i rhieni annwyl – yn ystod y daith. Teithiodd y byd gyda'i gŵr, fy ewythr, ac yna creu gyrfa lwyddiannus iddi'i hun tua diwedd ei phumdegau fel cynllunydd gerddi, gan ddal ati i ddarlithio yn y maes mewn colegau blaenllaw ym Mhrydain a thramor, a hithau yn ei wythdegau. Mae wedi byw'n hwy na'i gŵr, ei chwaer-yng-nghyfraith a'i chwaer annwyl – fy mam – a llawer iawn o'i ffrindiau.

Mae hefyd wedi goroesi damwain erchyll. Gwta ddwy

flynedd yn ôl, yn ofni y byddai hi efallai'n cael codwm a brifo yn ei hen gartref, symudodd o'r tŷ moethus ar gyrion Bryste i fyw mewn fflat bychan, dan warchodaeth, yng nghanol y ddinas. Symudodd Jaffa, wampyn o gwrcath cringoch, hefo hi i'r aelwyd newydd. O fewn wythnos, a hithau'n mynnu mynd â'r gath am dro ar dennyn yn hwyr yn y nos, mi ddisgynnodd i lawr llethr serth wrth ochr y fflatiau gan dorri ei gwddw. Bu'n gorwedd yno am oriau, a'r tir oddi tani'n rhewi'n gorn, cyn i gymydog ei chlywed yn gweiddi. Mae'r meddygon hyd heddiw'n methu deall pam nad ydi hi'n gwadriplegig, ond mi ddaeth hi – a'r gath – drwyddi. Mae'r hen Jaffa wedi trengi erbyn hyn, ond mae fy modryb yn dal i symud o gwmpas gyda help y troli cerdded, a'r ffon.

Do, mae hi wedi bod ar dipyn o daith.

A dyma'r ddynes sydd wrth f'ochr i rŵan, wedi gorfod derbyn (dan brotest) eistedd mewn cadair olwyn, dros dro – cadair dwi wedi'i benthyg y bore 'ma gan swyddogion y maes awyr, i hwyluso'n siwrnai o'r neuadd gofrestru i'r awyren ei hun.

Erbyn hyn mae hi wedi gorffen y Danish, ac yn dechrau taflu ambell edrychiad bach nerfus tuag at ein desg gofrestru ni.

'Faint o'r gloch 'di hi, gwed? Ydyn nhw am agor y ddesg 'ma neu be?'

Dwi'n synhwyro'i nerfusrwydd, ac ar fin agor 'y ngheg i geisio tawelu'i meddwl pan mae merch ifanc yn ymddangos yn sydyn o rywle y tu ôl i'r ddesg ac yn dechrau stwna efo'r belt bagiau a'r peiriant tocynnau.

'Dyma ni rŵan, ia?'

'Ia. Dyma ni.'

Dwi'n gwasgu'i llaw eto cyn codi, ac yn teimlo'r

cryndod lleia ynddi wrth wneud. A dwi'n sylweddoli, waeth pa mor bell mae hi wedi teithio yn ei bywyd a waeth pa mor dlws a thrwsiadus a dewr ei hymarweddiad, iddi hi, erbyn hyn, mae'r siwrne o'r gadair freichiau i'r tŷ bach yn dipyn o orchest. Pa syndod, felly, bod ein taith ni heddiw'n peri gofid iddi? 'Dan ni ond yn hedfan o Gaerdydd i'r Fali – Fali, Ynys Môn, hynny ydi – ond iddi hi, ar hyn o bryd, fyddai waeth i ni fod ar ein ffordd i Fali Hai.

'Ydi hi'n difaru?' dwi'n dechrau gofyn i mi fy hun, wrth imi gasglu'i phethau a dechrau ei gwthio hi a'r gadair olwyn tuag at y ddesg. Ar y pryd, fisoedd yn ôl pan drafodon ni'r ymweliad yma gyntaf, roedd yn well ganddi wneud hyn na dal y trên neu fynd yn y car. 'Rhy bell,' meddai. 'Mi fydd yr awyren gymaint yn gynt – dim ond bod rhywun yn teithio 'da fi.'

Ond dwi'n dechrau amau doethineb cynnig y fath beth rŵan, wrth i mi gyrraedd y ddesg a thystio i'r olwg ofnus yn ei llygaid wrth inni ffarwelio â'i chês a'i wylio'n diflannu o'n golwg efo'r troli cerdded, ar ei daith i rywle ym mherfeddion y maes awyr. Fodd bynnag, roedd y ferch wrth y ddesg yn garedig tu hwnt, ac mae fy modryb yn gwenu arna i'n annwyl, yn cuddio'i hofnau, wrth i ni droi i ffeindio'r lifft i'r Passport Control.

Mae nghalon i'n suddo unwaith eto wrth i ni gyrraedd clwydi diogelwch y maes awyr, lle mae'r swyddogion yn mynnu, er yn foesgar, ei bod hi'n codi o'r gadair, yn tynnu'i chôt a'i chardigan a'i sgarff, a hyd yn oed ei sgidiau, a'u rhoi ar y belt symudol du gyda'i menig a'r handbag sydd tan rŵan heb adael ei chôl. Dydi hi ddim yn cwyno am y ffwdan ond, yn sydyn, wrth iddi aros i'w holl drugareddau fynd drwy'r peiriant pelydr-X, mae'n dechrau edrych yn hollol amddifad a mwyfwy fel y gwrlen fach benfelen yna yn y llun unwaith eto – a dwi'n teimlo rhyw reddf warcheidiol yn fy meddiannu innau wrth imi ei helpu o'r diwedd i fynd yn ôl i'r gadair.

Wrth gwrs, 'dan ni'n dal i fod yn hynod o gynnar, felly pan dwi'n awgrymu mymryn o siopa i godi'i chalon, mae ei hwyneb yn goleuo.

'Siopa! 'Na syniad da. Sa i'n cael y cyfle i fynd i siopa ryw lawer dyddie yma. Pa fath o siopau sydd 'ma, 'de?'

A dwi'n difaru'n syth. Mae gen i ofn mod i wedi'i chamarwain hi – wedi'r cyfan, yn y Rhws ydan ni, nid yn Nherminal 5 Heathrow – ond mae hi'n gneud job dda o guddio'i siom, chwarae teg iddi, wrth i ni droi'n golygon tuag at y siop fach *duty free* yn y lolfa aros.

'Pa bersawr fydde dy chwaer yn licio? Rhaid imi ga'l rhywbeth bach iddi hi, i weud diolch. Ac i'r fechan hefyd, ma siŵr. Odi hi'n ddigon hen i wisgo persawr erbyn hyn, gwed?'

Hefo'm chwaer a'i merch y byddwn ni'n dwy yn aros, ym Mangor. Dydi'n modryb ddim wedi bod ym Mangor ers blynyddoedd – roedd y siwrne yn rhy faith iddi, yn enwedig yn ei chyflwr bregus ar ôl y ddamwain. Tan heddiw, hynny yw.

'Ym . . . un o'r rhai Chanel, dwi'n meddwl,' medda finnau. 'Ac ma'r genod ifainc 'ma i gyd yn licio hwn, mae'n debyg,' ychwanegaf wrth estyn am botel gron, siâp afal – a gwelwi'n syth wrth weld y pris.

'A be' amdanat ti? Dere nawr – raid i ti ga'l rhywbeth hefyd . . .'

Wedi dewis a rhoi'r poteli yn y fasged, dwi'n gweld ei bod hi'n dal i astudio'r rhesi ar resi o stondinau persawr, ond a golwg bell iawn ar ei hwyneb.

'Dach chi'n iawn, ydach?'

Ella fod yr holl beth yn ormod iddi wedi'r cyfan. Dwi'n

dechrau gofyn i mi fy hun o ddifri, 'Be dwi 'di'i neud?'
Ond ma hi'n edrych arna i a'i hwyneb yn llawn bywyd –
a chwilfrydedd.

'Odw i, yn iawn. Treial cofio dwi – be o'dd y persawr
fydde Ffred wastod yn prynu imi.' Ffred o'dd y gŵr. 'Dwi'n
ffili'n deg â chofio. 'Na niwsans.'

'White Linen,' medda fi.

Mae hi'n craffu arna i am eiliad, mewn syndod.

'Ie, 'na ti. White Linen o'dd e 'fyd. Ond shwt ar wyneb
y ddaear oeddat ti'n gwbod hynny?'

'Dwn 'im wir. Rhyw ddisgyn i mhen i 'nath y geiriau.
Ma raid bo chi 'di sôn rywdro, a mod inna 'di cofio.'

Mae'n gwenu arna i eto.

'O's 'na beth o hwnnw 'ma hefyd, gwed? Man a man i
finna ga'l rhywbeth bach i gofio'n trip, on'd ife?'

Dwi'n eistedd y tu allan i dŷ bach yr anabl yn aros
amdani. Aros, aros, aros. Ond ma'n meddwl i'n brysur, yn
meddwl . . . rhyfedd o beth ydi teithio, yndê? Yr holl
bobol yma o nghwmpas i – pawb â'i stori, efallai? Pawb
yn lladd amser wrth aros i fynd i rywle – ar wyliau, ar
fusnes, yn mynd i gwrdd â rhywun neu'n gadael rhywun
ar eu holau, ond pob un â'i fywyd 'on hold' am awr neu
ddwy, mewn adeilad caeedig yn aros, aros, i rywbeth
ddigwydd. Fel tasa amser wedi dod i stop. A dwi'n
dechrau meddwl am y miliynau o bobol sydd wrthi'r
funud yma'n aros ym meysydd awyr y byd, ar fin teithio
i wledydd eraill, i fywydau eraill, hyd yn oed i amseroedd
eraill – o nos tan ddydd, ac o ddydd tan nos. Finnau'n eu
plith nhw, yn aros i'm modryb gael pi-pi cyn hediad
deugain munud i nghartre genedigol i. Taith fechan,
ddibwys, ddiantur o'i chymharu â chynlluniau pawb arall,
mae'n siŵr.

Ond i ni, mae hon yn fenter a hanner – nid dim ond oherwydd ei hoedran a'i hiechyd, cynnwys y cês, y troli cerdded, yr holl alwadau ffôn, yr hasl gawson ni i drefnu'r yswiriant, y trefnu a'r trafod, a'r trafod a'r trefnu – ond am mod i'n mynd â hi i Fangor am reswm arbennig.

Dwi'n mynd â hi i Fangor er mwyn iddi hi gael ymweld, o'r diwedd, â bedd ei chwaer fach.

Ac mae honno'n dipyn o daith, i unrhyw un.

Mae hi wedi bod yn y tŷ bach ers hydoedd. Dwi'n dechrau anesmwytho, ac yn teimlo braidd fel tasa amser erbyn hyn wedi cael ei droi â'i ben i waered, ac mai fi ydi'r fam a hi ydi'r plentyn – ond, o'r diwedd, dwi'n clywed y fflysh, a hithau'n straffaglu efo cliced y drws.

Mae'r ddwy ohonon ni'n eistedd yn y lolfa aros unwaith eto. Yn sydyn, mae hi'n deud,

'White Linen.'

'Ia?' Dwi'm yn dallt.

'Pan o'dd Ffred yn marw, o'dd y merched yn mynd i'w wcld c yn yr ysbyty, bob yn ail, ac yn gweud storis wrtho fe, neu'n canu caneuon bach. O'dd e'n dost iawn ac yn anymwybodol, ond o'dd y nyrsys wedi gweud falle 'i fod e'n gallu clywed o hyd. A dyma fi'n meddwl – be allwn i ei neud, tybed, iddo fe wbod mod i 'na? Ac yn sydyn, gofies i. Am y White Linen. Wedyn, bob tro o'n i'n mynd i'r ysbyty, byddwn i'n neud yn siŵr mod i'n gwisgo digon ohono iddo fe allu'i wynto. Byddwn yn rhoi ngarddwrn ar bwys ei ben e ar y pilw, er mwyn iddo fe wbod taw fi o'dd 'na wrth ei ochr e, a bod e ddim ar ben ei hunan bach.'

Mae'n ochneidio. 'Tybed o'dd e'n gwbod? Y?'

Dwi'n estyn 'yn llaw allan.

'Ro'dd e'n hir iawn yn marw – druan â fe,' mae hi'n ychwanegu, cyn cydio eto, yn dyner, yn fy llaw.

Dydi hi ddim yn petruso o gwbl, fel ro'n i wedi ofni y byddai hi, pan mae hi'n gweld pa mor fach ydi'r awyren. Ac mae'r Capten yn hynod o fonheddig ac yn ei helpu i fyny'r pedair stepen ac i'w sedd yn y cefn, fel tasa hi'n rhywun arbennig iawn. Mae hi'n mwynhau'r sylw, meddyliaf, wrth eistedd yn ei hymyl.

Ond wrth i'r awyren fach godi i'r awyr, dwi'n gallu teimlo'r tyndra lleia'n lledaenu trwy'i chorff. Dydi hi ddim yn deud llawer yn ystod y daith, dim ond edrych allan trwy'r ffenest. 'Dan ni'n lwcus, tydi hi ddim yn wyntog: mae'r daith yn esmwyth, esmwyth, a'r olygfa'n fendigedig – cymylau gwynion ar bob tu oddi tanom, a'r haul yn araf fachlud wrth ein hochrau. Mae'n anodd osgoi meddwl, 'nefolaidd iawn'.

Tydi hi ddim yn gollwng ei gafael yn fy llaw nes inni lanio unwaith eto ar dir y byw.

Pan 'dan ni'n cyrraedd, mae hi'n diolch i'r Capten wrth iddo'i helpu hi allan o'r awyren. Mae ei chês a'r troli cerdded yn saff, wrth gwrs, ar waetha'i phryderon – ac mae fy chwaer yno'n aros amdanom.

Popeth wedi mynd fel wats.

Ond, wrth gwrs, dydi'r daith ddim ar ben eto.

Ychydig ddyddiau wedyn mae'r tair ohonom yn mynd i'r fynwent, ac mae hithau'n llwyddo i gerdded fraich ym mraich rhwng fy chwaer a minnau at ochr bedd fy mam, gyda'r troli cerdded ymhlyg yn fy llaw rydd i. Mae'n ddiwrnod oer, ond yn glir a heulog.

Rydan ni'n gosod y blodau mae hi wedi'u dewis yn y potyn; yna mae'n gofyn i ni ei gadael yno am ychydig funudau, a'n chwaer a finnau'n cilio oddi wrthi. Mae hi'n sefyll yno'n dawel ac yn llonydd, yn pwyso ar y troli cerdded, a finnau'n manteisio ar y cyfle i'w hastudio unwaith eto: hen wreigan drwsiadus a thlws, ei gwallt golau cyrliog yn loyw yng ngolau'r haul, yn sefyll wrth fedd ei chwaer – fy mam.

O'm safle rai troedfeddi i ffwrdd, dwi'n gallu gweld ei bod hi'n ochneidio ac yn cau ei llygaid, yna'n aros yn dawel eto.

Ac mae'n fy nharo pa mor bell mae hi wedi teithio i gyrraedd y foment yma.

A thybed i ble mae hi'n teithio rŵan?

Gwreiddiau

Grace Roberts

Pan welais i hi'n diflannu heibio'r gornel heb roi'r un cip yn ôl arna i, yn fyr ac yn sionc yn ei jîns a'i hwdi, a'i gwallt cynffon ceffyl du-bitsh yn siglo'n fownslyd o ochr i ochr, dyna pryd y methais i rwystro'r dagrau rhag gorlifo. Fy hogan bach i, f'unig gyw i, yn cychwyn ar siwrnai hirfaith hanner ffordd rownd y byd ar ei phen ei hun, gan fy ngadael innau'n sypyn diymadferth o hiraeth.

Roedd y ddwy ohonom newydd roi cwtsh hir i'n gilydd, a finnau'n siarsio:

'Cofia ebostio, Maia.'

'Ocê, Mam. Nei ditha ffonio weithia, g'nei? Dolig? A pen-blwydd fi?'

'G'na siŵr. Fydd raid i mi gael Skype.'

'Fasa hynny'n grêt.'

Bu eiliad o ddistawrwydd.

'Well i ti gychwyn, 'sti,' meddwn i wedyn, ar hyd fy nhin.

Ar ôl cael sws ar ei boch, safodd Maia a syllu arna i â gwên fach ansicr, fel pe bai arni awydd cwtsh arall. Fel pe bai llinyn ei bogail yn dal heb ei dorri . . . Finnau'n ysu am ei chofleidio eto, ond yn oedi rhag ofn gwneud y gwahanu'n anos fyth i'r ddwy ohonom ni. Yna'n sydyn, troes Maia ar ei sawdl, trotian i ffwrdd, a diflannu heibio'r gornel.

Dihengais innau i'r tŷ bach, ac eistedd yno'n hwy nag

oedd angen er mwyn ceisio atal y dagrau a'u sychu. Yn y man rhois gic ffigurol i 'mhen-ôl fy hun, a cherdded allan o'r maes awyr â mwy o sbonc nag a deimlwn.

Yn fy nisgwyl yn amyneddgar yn y maes parcio eisteddai Rhys, wedi ymgolli mewn rhyw stori amserol yn ei bapur newydd. Welodd o mohona i nes i mi agor drws teithiwr y car. Gwenodd.

'O. Maia wedi mynd, ydi hi?'

Amneidiais. 'Cyn belled â'r awyren, o leia.'

Gallwn deimlo'r dagrau bradwrus hynny'n dechrau lleithio fy llygaid unwaith eto. Gwasgodd Rhys fy llaw.

'Hei! Mi fydd Maia'n iawn, 'sti,' meddai'n dyner. 'At ei thad mae hi'n mynd, ddim i ogo' lladron.'

'Ond tydyn nhw'm wedi gweld ei gilydd ers wyth mlynadd! Be tasan nhw'n methu nabod ei gilydd yn y maes awyr?'

'Methu nabod . . .?' Chwarddodd Rhys. 'Ti'n colli arni, Llio bach! 'Tydi'r ddau 'run sbit! A ma hi'n gyrru llunia iddo fo dros y we bob chwinciad, a fynta iddi hitha. Yli, well ni gychwyn. Mae'n hamsar ni yn y cwt concrit 'ma bron ar ben.'

Fel y gadawai'r car y lle parcio aml-lawr, clywais sŵn awyren yn codi. Syllais i fyny a gweld ei goleuadau uwchben a chefais bwl o banig.

'Ar honna ma hi, tybad? Rhys, deunaw oed ydi hi ac yn edrach ddim hŷn na phymthag! A thuag ugain awr o siwrna o'i blaen – gorfod newid ddwywaith . . .'

'Cheith hi'm problam, siŵr, hogan hyderus fel hi. P'run bynnag, yn Heathrow a Miami bydd hi'n newid, ddim yn Istanbul neu Tokyo!'

'Gas gen i feddwl amdani i fyny yn yr awyr heb ddim byd ond gwagle rhyngddi hi a chadernid daear.'

'Llio!'

Oedd Rhys yn dechrau colli amynedd hefo fi? Doedd gen i ddim help 'mod i'n jeli o bryder dros fy merch.

'Hedfan ydi'r ffordd saffa un o deithio. Ma Maia'n fwy diogel i fyny yn fancw nag ydan ni'n dau ar y draffordd 'ma.'

Ar hynny gwibiodd anferth o lorri ddwbwl heibio ar gyflymdra goleuni nes ysgwyd y car.

'Oréit, oréit! Dwi'n gweld dy bwynt di, Rhys. Ond fydda i ddim yn hapus nes cael ebost ganddi yn deud ei bod hi wedi cyrraedd yn saff.'

'Llio, 'nghariad i, dwi ddim yn meddwl byddi di'n hapus go iawn nes bydd hi wedi cyrraedd 'nôl *adra*'n saff.'

Brathais fy ngwefus a syllu allan trwy'r ffenest. Roedd o'n iawn, wrth gwrs – iâr un cyw fel fi. Pan soniodd Maia ar ôl ei harholiadau Lefel A y gallai wneud â gwella'i Sbaeneg llafar, meddyliais mai cael gwyliau bach yn Sbaen efo'i ffrindiau oedd ei bwriad.

'Naci, Mam. Dwi angan misoedd, i fod yn *rîli* rhugl cyn mynd i'r coleg.' Oedodd am eiliad. 'Faswn i'n licio mynd at Dad i Guatemala am flwyddyn.'

Suddodd fy nghalon i wadnau fy nhraed, a doedd hi byth wedi esgyn yn ôl i'w phriod le: ddim go iawn.

'Ond . . . ma fanno'n bell, pwt.'

Chwarddodd Maia'n anghrediniol. 'Mae o'n nes na Patagonia! A faswn i hefo *Dad*! Mae 'na lot o ysgolion dysgu Sbaeneg yn y dre Antigua 'na lle mae o'n byw, 'sti, dwi 'di sbio ar y we.' Plediodd arna i efo'r llygaid llo bach tywyll, siâp almwn yna sydd ganddi. 'Ga' i ebostio fo i ofyn? *Plis*, Mam.'

Wyddwn i ddim beth i'w ddweud wrthi. Fyddai ar ei thad eisiau ei chael hi yno am flwyddyn gron gyfan? Roedd o wedi cadw cysylltiad efo hi, oedd, ar hyd y bedlan. Ond erbyn hyn cawsai wraig newydd a babi newydd, tybed oedd ganddo fo le yn ei fywyd o hyd i'w fabi cyntaf, ynteu dan draed fyddai hi?

'Ella medrwn i helpu efo Iago.'

Y brawd bach oedd Iago – Pedro wedi chwilio am enw i'w fab a weithiai cystal yn Gymraeg a Sbaeneg. 'A helpu efo'r hostel. Ma'r staff yn mynd a dŵad bob munud, medda Dad. Aros am dipyn, a wedyn mynd ymlaen i deithio. Faswn i ddim yn gada'l – a faswn i ddim eisio cyflog, dim ond bwyd a gwely.'

'A be am dalu am y daith? A'r siwrans a ballu?'

'O, ia . . . sorri, Mam. Mi . . . mi chwilia i am job dros yr ha . . . Siop, caffi . . .'

Ochneidiais. Un benderfynol oedd Maia. Os gallai unrhyw un gael y maen i'r wal, hi oedd honno. Doedd waeth i mi heb â dadlau. Ac o feddwl, roedd hi'n lwcus. Nid pawb allai obeithio cael lojin am ddim i gryfhau eu hastudiaethau.

'Iawn, iawn. Ebostia fo, 'ta. Ond paid â chael gormod o siom os gwrthodith o.'

Nid gwrthod wnaeth Pedro, ond gorfoleddu. F'adwaith cyntaf i oedd y gallai fod yn edrych ar Maia fel pâr o ddwylo rhad i slafio yn yr hostel a gadwai, ond fûm i fawr o dro â difaru bod mor sinigaidd, a sylweddoli 'mod i'n gwneud cam ag o. Nid un felly oedd y Pedro a briodais i. A siawns nad oedd wedi newid cymaint â hynny, er iddo ddewis mynd a 'ngadael i.

Dewis mynd a 'ngadael i? Wel, felly'r edrychai'r sefyllfa i eraill, mwy na thebyg. Ond roedd gen innau ddewis hefyd, on'd oedd? Dewis mynd hefo fo. Methu wnes i, wrth gwrs – methu gadael fy ngwreiddiau. Methu peidio â dychwelyd at ei wreiddiau wnaeth yntau.

Rydw i'n dal i gofio'r tro cynta gwelais i o. Chwech oed oeddwn i, yn ysgol y babanod. Daeth cnoc ar ddrws yr ystafell ddosbarth ac, er syndod i bawb, cerddodd cwpwl hipïaidd yr olwg i'r dosbarth, a bachgen bach yn cydio fel gele yn llaw'r ddynes. Un byr oedd o, efo wyneb bach tywyll, ciwt, a gwallt sgleiniog du. Siaradodd y cwpwl efo Miss Williams am sbel, a phetaem ni'r plant ychydig yn hŷn, a heb fod yn rhythu cymaint ar yr hogyn bach, buasem wedi gweld wyneb Miss yn mynd yn fwyfwy cythryblus fel y dirwynai'r sgwrs.

'Leave him with me for today,' meddai wrthynt. 'But arrangements will have to be made for him to go to the special unit in order to learn Welsh. This is naturally a Welsh-medium school.'

Gadawodd y cwpwl a daeth Miss Williams â'r bachgen i eistedd wrth ein bwrdd ni.

'Dyma i chi Pedro,' meddai. 'Pedro Gonzalez. Dydi o ddim yn siarad Cymraeg, a dim ond mymryn bach o Saesneg sy ganddo fo.'

Doedd gennym ninnau fawr o Saesneg, chwaith, dim ond Saesneg *Sesame Street* a *Rainbow,* ond rywfodd mi wnaethom ni'n rhyfeddol hefo'r Pedro bach dieithr yma, a hynny am dridiau. Diflannodd wedyn am tua deufis, a phan ddaeth yn ei ôl parablai Gymraeg yn wyrthiol, fel clep melin. Ac am ein bwrdd ni yr anelodd o fel bwled.

Bu'r criw ohonom yn gyfeillion mynwesol trwy'n dyddiau yn yr ysgol gynradd, ond Rhys drws nesa a finnau oedd ei ffrindiau pennaf. Dôi Pedro i'r pentref i chwarae yn aml: cerdded y tair milltir ar ei ben ei hun ar hyd y lôn drol o'r bwthyn (adfeiliedig, braidd) yn ymyl yr hen chwarel gerrig lle roedd y teulu wedi ymgartrefu – neu sgwatio, yn hytrach. Yn aml, byddai wedi dechrau tywyllu cyn iddo feddwl am gychwyn adref, ond yn ôl pob golwg phryderai ei rieni fawr amdano; ddôi neb i'w gyrchu, beth bynnag.

Ei rieni? Na, gofalwyr o ryw fath oedden nhw, Josh a Joelene: y ddau'n bryd golau a Pedro mor dywyll. O bryd i'w gilydd, teithient drwy'r pentref mewn hen Landrover a edrychai ac a swniai fel pe bai'n cael ei ddal wrth ei gilydd â llinyn. Yn ôl Pedro, ar eu ffordd i'r dre i siopa am fwyd neu i'r farchnad i geisio gwerthu'r lluniau a beintiai Josh, neu'r tlysau cyntefig a gynhyrchai Joelene y bydden nhw. Dyna'r unig damaid o wybodaeth a gawsom ganddo, ond doedd neb ohonom ni'r plant yn poeni'r un iod am gefndir gwahanol ein cyfaill newydd.

Nid felly rhai o oedolion chwilfrydig y pentref.

Un da am gael gwaed allan o garreg oedd Yncl Mal, tad Rhys, oedd yn athro yn yr ysgol uwchradd yn y dre. Yn bur aml câi Pedro ginio neu de hefo Rhys a fi, naill ai yn ein tŷ ni neu drws nesa. A dyna gyfle Yncl Mal.

'Wyt ti'n lecio byw ffor'ma, Pedro?'

'Ew, yndw!'

'Yn well na lle roeddat ti o'r blaen?'

Crychodd Pedro'i drwyn.

'Ymmm . . . dim yn gwbod. Well na Llundain. Lot o bobol.'

'Ia, wel . . . dinas ydi Llundain, was. Lot o bobol *yn* byw mewn dinas.'

'Naci, lot o bobol yn tŷ fi. A nath Yncl a Anti fi fynd.'

'O. Hefo Yncl ac Anti oeddat ti? Ddim Dad a Mam?'

Er braw i bawb ohonom, daeth dagrau i lygaid Pedro. Gwelais innau Anti Ann, mam Rhys, yn ysgwyd ei phen ar ei gŵr: yr holi wedi mynd yn rhy bell, er na ddeallwn i mo hynny ar y pryd.

'Ty'd, Pedro,' meddai Anti Ann, 'bechdan wy bach arall. 'Ta fasa well gen ti deisan?'

Estynnodd Pedro am deisen siocled.

'Diolch,' meddai, 'neis.' Yna, fel petai tamaid o'r deisen

wedi rhoi dewrder iddo, ychwanegodd: 'Teisan tri llefrith oedd Mam yn gneud yn Guatemala.'

Deallai pawb ohonom erbyn hyn, wrth gwrs, mai Sbaeneg oedd iaith gyntaf Pedro, ond i ni'r plant, iaith Sbaen oedd honno. Onid oedd y mwyafrif ohonom wedi cael gwyliau, o leiaf unwaith, yn Torremolinos neu rywle?

'Lle 'di Gatafala?' gofynnodd Rhys.

'Pell,' atebodd Pedro, ei geg yn llawn o deisen siocled.

'Mae o *yn* bell, 'y ngwash i,' meddai Yncl Mal yn feddylgar. 'Ym . . . does 'na ddim rhyfal yno, dywad?' Gwyddai'n iawn bod, wrth gwrs; sylweddolaf hynny bellach, ond bod Yncl Mal yn troedio'n ofalus.

Nodiodd Pedro'i ben.

'Dad a Mam ar goll,' meddai mewn llais bach. 'Dengid. Efo Yncl a Anti. Cwch i . . . Pajamas ne' rwla, a cwch am hir hir wedyn i . . . Dim yn cofio lle. Eniwê, cyrraedd y tŷ efo lot o bobol yn Llundain – comiwn ne' rwbath. Wedyn Yncl a Anti'n mynd.'

Rwy'n siŵr bod fy llygaid i fel dwy soser erbyn hyn. Mynd a'i adael o! Roeddwn i bron â chrio fy hun, yn deall dim bryd hynny am fewnfudwyr anghyfreithlon.

'Ond . . . pwy oedd yn edrach ar d'ôl di, Pedro?' gofynnais.

Cododd Pedro'i ysgwyddau.

'Pawb, ia. Neb weithia.'

'Ddim Josh a Joelene?' mentrodd Rhys ofyn.

'Pan ddaru nhw dŵad yna, ia,' atebodd Pedro. Yna gwenodd ei wên lydan. 'A ges i dŵad hefo nhw i fama. Anti Ann, plis ga' i fwy o orenj jiws?'

Wnaeth neb ohonom ni ddatgelu cyfrinachau Pedro, y ffoadur bach, i neb. Dim ond i Nhad a Mam, wrth gwrs, gan eu bod nhw'n ei fwydo fo cyn amled ag Anti Ann ac Yncl Mal.

Cerddodd y blynyddoedd yn eu blaenau, a thoc, daeth yn amser i'r tri ohonom ddechrau meddwl am symud i'r ysgol uwchradd. Mynd efo'n mamau i brynu gwisg ysgol ac ati. Ond doedd dim arlliw o baratoi ar gyfyl Pedro. Un diwrnod, gofynnodd Mam iddo oedd o'n barod am y newid mawr. Y cyfan wnaeth o oedd sgrytian ei ysgwyddau, troi ei gefn arni, a chychwyn cerdded i ffwrdd. Edrychodd Mam a finnau ar ein gilydd, yna rhedais ar ôl Pedro a chydio yn ei lawes. Tynnodd ei fraich o'm gafael.

'Gad lonydd i fi, Llio.'

Roedd sŵn crio yn ei lais. Pedro'n crio? Pan oedd o'n chwech oed hwyrach, ond bellach, ac yntau'n un ar ddeg, er yn fyr o hyd, ystyriai ei hun yn dipyn o foi caled.

'Pedro, be sy? Dwi'n poeni amdanat ti. Plis deuda!'

Sychodd Pedro'i ddagrau â chefn ei law.

'Josh a Joelene,' meddai'n gyndyn. 'Yn symud o 'ma. Dim digon o bres i ga'l yn y peintio a ballu yn fama. Ma Josh yn meddwl geith o neud *pavement drawings* a petha felly os eith nhw 'nôl i Lundain. Llio, dwi'm isio mynd!'

Lluchiais fy mreichiau amdano, er y disgwyliwn iddo fy ngwthio oddi wrtho. Ond wnaeth o ddim, dim ond cydio'n dynn yndda i.

'Ty'd yn d'ôl i dŷ ni, Peds, a gawn ni siarad, ni a Rhys.'

Pan ddeallson nhw beth oedd y broblem, ymunodd rhieni Rhys a finnau yn y sgwrs, ac wedi gweld gofid gwirioneddol Pedro dyma nhw'n ein hanfon ni'r plant allan am dro. Erbyn i ni gyrraedd adre i'n tŷ ni roedd Yncl Mal ac Anti Ann wedi diflannu, a gwnaeth Mam wy a sglodion a hufen iâ i'r tri ohonom. Toc, daeth Yncl Mal ac Anti Ann yn eu holau.

'Pedro,' meddai Yncl Mal, 'fasat ti'n lecio aros yma i fyw hefo Rhys a ni nes byddi di wedi gorffan yn yr ysgol?

Daeth golwg syfrdan o anghrediniol i lygaid Pedro.

'Go wir?' sibrydodd yn floesg.

'Go iawn,' meddai Yncl Mal. 'Rydan ni newydd fod yn gweld Josh a Joelene, ac maen nhw'n deud os mai dyna wyt ti isio, popeth yn iawn.'

Fu Josh a Joelene fawr o dro yn symud holl eiddo pitw Pedro i drws nesa, ac er i Joelene roi sws glec swnllyd ar ei foch cyn gadael, allwn i ddim llawn ddirnad yr olwg yn ei llygaid hi. Bellach, rwy'n amau mai rhyddhad ydoedd. Un peth oedd rhoi cartref i blentyn bach: peth arall oedd ei arwain drwy flynyddoedd anodd glasoed.

Bu'r blynyddoedd hynny'n fwrlwm o chwerthin a chrio a syrthio mewn cariad. Rhys oedd y Romeo: tyfodd yn dal a gosgeiddig a swynol, ond er iddo gael sawl concwest, pharodd dim un yn hwy na rhyw ddeufis. Tyfais innau hefyd, yn dalach na Pedro druan, a ysai am fodfeddi ychwanegol. Fodd bynnag, un o ddisgynyddion y Maya oedd Pedro, a genynnau ei lwyth yng Nghanolbarth America a reolai ffurf ei gorff. Ond doedd dim blewyn o wahaniaeth gen i am ei olwg. Rwy'n meddwl i mi syrthio mewn cariad efo Pedro pan oeddwn i'n groten chwech oed!

Er i Rhys fynd ymlaen i'r Chweched ac i'r brifysgol cyn crwydro'r byd fel athro Saesneg, gadawodd Pedro a finnau fyd addysg cyn gynted byth ag y gallem. Es i i weithio fel derbynnydd yn y feddygfa yn y dref, a chymerodd Dad Pedro dan ei adain yn brentis o saer. Erbyn hynny, gwyddwn fod Pedro'n fy ngharu i lawn gymaint ag roeddwn i'n ei garu o. Yn ddeunaw oed, priododd y ddau ohonom, a chafodd Pedro ddinasyddiaeth ddeuol yn sgil ein huniad. Ein hunig ofid oedd nad arhosodd Rhys adref i fod yn was priodas i ni; yn syth ar ôl gorffen ei Lefel A diflannodd am flwyddyn o grwydro cyn mynd i'r brifysgol. Cynorthwyodd Dad Pedro i adeiladu tŷ bach twt yng nghefn ein tŷ ni, a dwy flynedd yn ddiweddarach, cyrhaeddodd Maia i'r byd.

Wrth edrych yn ôl, rwy'n amau mai geni Maia, parhad ei hil, achosodd anniddigrwydd Pedro. Roedd eisoes wedi dechrau cymryd diddordeb yn ei wlad enedigol, yn treulio ambell awr ar y cyfrifiadur yn chwilota am hanes a daearyddiaeth Guatemala. Ac, wrth gwrs, am y Maya, eu traddodiadau a'u tafodieithoedd: daliai i gofio ychydig eiriau a glywsai gan ei rieni. Y mis Mai hwnnw ddeunaw mlynedd yn ôl, pan welodd ein geneth fach ni am y tro cyntaf, yn sypyn sgrechlyd chwephwys o wallt fel glo a chroen melynfrown, syrthiodd Pedro mewn cariad dros ei ben a'i glustiau, nid yn unig â'i ferch ond â'i holl dylwyth o'i darddiad yn y gorffennol pell. Siglodd y babi yn ei freichiau.

'Ti'n gwbod, oeddat ti isio'i galw hi'n Mai – be am roi "a" ar ei ôl o? Ma Maia'n swnio'n Gymraeg hefyd.'

Sut gallwn i wrthod? Maia fu cannwyll ei lygad byth wedyn. Yn digwydd bod, chawsom ni ddim chwaneg o blant, a synnwn i damaid nad oedd Pedro'n falch: roedd Maia'n bopeth iddo.

Bu raid i mi fynd yn ôl i weithio yn y feddygfa; mynnai Pedro a minnau dalu rhyw gymaint o gost ein cartref yn ôl i Dad. Doedd dim prinder pobl i warchod acw, gyda Mam ac Anti Ann bob amser yn barod eu cymwynas, ac yn ystod dyddiau byrion y gaeaf, byddai Pedro'n gorffen ei waith yn gynnar ac yn cyrraedd adref o 'mlaen i. Dwyawr felys o gwmni ei ferch fach cyn i'w mam darfu ar eu mwyniant. Wrth gwrs, ar hir ddyddiau'r haf, fo fyddai'n gweithio'n hwyr. Os byddai Maia wedi mynd i'w gwely cyn iddo gyrraedd adref, y peth cyntaf a wnâi fyddai rhuthro i'w llofft ac eistedd yno'n syllu arni'n cysgu'n heddychlon. Nid mor dawel bob amser chwaith: af ar fy llw y byddai weithiau'n ei dihuno'n bwrpasol er mwyn cael dod â hi i lawr y grisiau i chwarae!

Fel y tyfai Maia, dechreuodd ddysgu rhai geiriau Sbaeneg iddi, er mor rhydlyd oedd ei Sbaeneg ei hun erbyn hynny. Hefyd âi â hi at y cyfrifiadur a dangos lluniau iddi o Guatemala ac olion llwyth y Maya.

'Sbia, Maia, yn fanna, yn Flores, oedd Dad yn byw pan oedd o 'run oed â chdi. Mae 'na hen deml Maya'n agos. Ond mi oedd yno ryfal yn y wlad, ti'n gweld, a mi aeth Taid a Nain ar goll, a fuo raid i lot o bobol ddengid. Fel fi.' Gwyddai Maia fwy am Guatemala nag am Gymru pan oedd hi'n chwech oed. Doedd dim gwahaniaeth gen i. Wedi'r cwbl, roedd Guatemala'n rhan o'i chynhysgaeth hi, yn ogystal â Chymru.

Fel y dirwynai'r blynyddoedd, gallwn weld bod cefndir cynnar Pedro'n dechrau dod yn obsesiwn ganddo. Pan soniodd am symud yn ôl i'w wlad enedigol, cefais fraw. Cymru oedd fy mamwlad i, ac yma roeddwn i'n hapus. Beth petai Pedro'n gwrthod dod yn ôl? Fy ngwrthwynebiad pennaf, fodd bynnag, oedd oedran Maia. Roedd ar ei blwyddyn olaf yn yr ysgol gynradd ac felly ar fin symud i'r uwchradd. Nid dyma'r amser i'w dadwreiddio.

'Mi fuo fi'n ocê,' oedd dadl Pedro.

'Yn chwech oed, do, ond doedd symud i ffwrdd yn un ar ddeg ddim yn plesio, nac oedd? A hynny ddim ond i Lundain! Pa obaith fyddai gan Maia o allu mynd i'r afael â phynciau fel Cemeg neu Ddaearyddiaeth mewn iaith na ŵyr hi fawr ddim ohoni?'

Roedd o'n gweld y pwynt yn iawn, ond mynd wnaeth o 'run fath – hebddon ni'n dwy. Ddychmygais i ddim y gallai'n gadael ni, yn enwedig gadael Maia. Petai o ddim ond wedi gweld yr holl grio wnaeth hi yn sgil ei ymadawiad . . . Ond, erbyn hynny, aethai ei wreiddiau yn Guatemala a llwyth y Maya'n gymaint o obsesiwn ganddo fel nad oedd dim – na neb – arall yn bod.

Bu'r blynyddoedd nesa'n hunllef. Maia, yn ei glasoed, yn mynd trwy gyfnodau o wrthryfela ac o ffraeo ac o hulpio, a'r hulpio'n gwaethygu bob tro ar ôl cael un o ebostiau rheolaidd ei thad. Oherwydd cadwodd Pedro mewn cysylltiad â'i ferch ar hyd yr amser. Ar y dechrau, ceisiai anfon negeseuon i minnau hefyd, ond allwn i wneud dim ag o: roedd yn brifo gormod. Diolchwn fod Dad a Mam mor agos, yn gefn i mi, yn enwedig yn ystod y pedair blynedd cyntaf.

Pan oedd Maya tua hanner ffordd trwy ei phedwaredd flwyddyn yn yr ysgol uwchradd y dechreuodd pethau wella. Dyna pryd y daeth Rhys adref o Awstralia oherwydd nad oedd ei dad yn rhy dda. Erbyn y Pasg, roedd wedi sicrhau swydd mewn ysgol uwchradd rhyw bymtheng milltir i ffwrdd, i ddechrau ar ôl gwyliau'r haf.

Ni fuasai Rhys gartref ers cryn bedair blynedd, gan i Yncl Mal ac Anti Ann fynd allan ato fo ddwy flynedd ynghynt, ond gwyddai am y sefyllfa rhyngof i a Pedro: Anti Ann wedi rhoi'r newyddion i gyd, iddo, wrth gwrs. Yn amlwg, roedd hefyd wedi clywed am sterics fy merch!

'Ma ganddi hi fwy na digon yn ei phen,' meddai wrthyf toc ar ôl cael ei sgwrs gyntaf â hi.

'Dwi'n gwbod. Mwy o lawer na Pedro a fi. Dyna pam basa hi wedi bod yn bechod 'i dadwreiddio hi ar yr union adeg pan oedd hi ar fin symud ysgol.'

'Ga' i . . . weld be fedra i neud, ia, Llio?'

Pan ddaeth Maia i'r tŷ ar ôl rhyw jolihóit neu'i gilydd, dyma fi'n dweud, 'Dwi wedi gwa'dd Rhys i swper heno.'

Sbiodd Maia dan ei sgafell arna i. 'Pam? Am bod o'n bishyn?'

'Am 'i fod o'n hogyn drws nesa ers pan oeddan ni'n fabis, yr hulpan! Paid â chael syniada'n dy ben.'

'Do'n i ddim. Ti 'di priodi hefo Dad, eniwê.'

'A mae o'n rhy hen i *chdi!*'

Edrychodd Maia i fyw fy llygaid, am y tro cyntaf ers o leiaf ddwy flynedd. Syllodd y ddwy ohonom yn heriol ar ein gilydd am eiliad, yna'n sydyn dyma ni ill dwy'n dechrau chwerthin. Chwerthin nes roedden ni'n glanna efo'n gilydd am y tro cyntaf ers oes. Rhuthrodd Maia ataf a lluchio'i breichiau am fy ngwddw. Troes ei chwerthin yn igian crio.

'S-sorri, Mam. Dwi 'di bod yn hen bitsh.'

Mwythais ei gwallt. 'Shhh. Os doi di at dy goed rŵan, mi fydd pob dim yn iawn.'

Ac mi fu pob dim yn iawn. Gweithiodd Maia'n galed at ei harholiadau TGAU, a'i Lefel A wedyn. Daeth Rhys a minnau'n ffrindiau agos fel y byddem ni erstalwm, a phan gyfarfu Pedro â Teresa a gofyn am ysgariad, at Rhys y rhedais i am gyngor.

'Oes arnat ti'i isio fo'n ôl?' gofynnodd.

Ystyriais yn ddwys.

'Dwi ddim am ei gael o, nac'dw? Waeth i mi dorri'r tennyn na pheidio.'

'Da'r hogan! Mi oeddwn inna'n fêts mawr hefo fo, ond mae meddwl am be nath o i *ti* – o bawb . . .'

'Ac i Maia, cannwyll 'i lygad o. Ond ma Maia wedi madda iddo fo, dwi'n meddwl. Dyna raid i minna neud.'

'Damia!'

Gwichiodd y brêcs a safodd y car yn stond. Dadebrais yn sydyn, ar ôl bod ar goll yn fy meddyliau am ran helaeth o'r siwrnai adref o'r maes awyr.

'Sorri, Llio. Gwaith ar y ffordd. Y goleuada newidiodd yn sydyn. Ti'n iawn? Ti 'di bod yn ddistaw gynddeiriog.'

'Dwi wedi bod ym mhobman. Yn yr ysgol bach yn chwech oed . . .'

'Ia.' Bu Rhys yn ddistaw am eiliad. 'Wna *i* ddim d'adael di, 'sti.'

'Dwi'n gwbod. Rhyfadd . . . dyna ddeudodd Maia wrth sôn am weithio yn hostel 'i thad. Staff yn mynd a dŵad, ond neith *hi* ddim gada'l, medda hi.'

'Hynny sgen ti ofn, 'te Llio?'

Teimlais yr hen ddagrau bradwrus hynny'n lleithio fy llygaid eto fyth.

'Gada'l Cymru ddaru'i thad hi, 'te? Gada'l 'i unig blentyn, hyd yn oed, am fod 'i wreiddia fo mor ddwfn yn Guatemala. Ac *ma* hannar 'i gwreiddia hitha yno, 'tydyn?'

'Ond ma'r hannar cryfa *yma*, hefo'r fam sy wedi bod yn driw iddi ar hyd y blynyddoedd. Adra daw hi, paid ti â phoeni.' Gwenodd Rhys. 'Ty'd, sycha dy ll'gada a chwytha dy drwyn. Gei di ebost nos fory'n deud: "Wedi cyrraedd yn saff, Mam. Colli chdi'n barod." '

Ar hynny canodd fy ffôn yn fy mag ysgwydd: tecst gan Maia. Eiliad gefais i i ddangos y neges i Rhys cyn i'r goleuadau droi'n wyrdd.

'Heathrow'n blincin anferth! Jest i fi golli plên Miami. Barod i fynd mewn iddi rŵan. Ebostia i ar ôl cyrraedd. Methu chdi'n barod, Mam. Cariad mawr, Maia.'

Cael ei thraed dani

Janice Jones

Y ffliwsi! Yr ast! Yr hoedan benchwiban ddigywilydd! Pe na bai'r gnawes ddi-lun wedi cael ei bysedd barus, budron ar Huw, mi fyddai popeth wedi bod yn iawn. Blonegog, hefyd – byddai cael eich dal yn y bysedd bach tew 'na fel cael eich mwytho gan bwys o sosej . . .

Nid fel ei dwylo hi, Alwen, oedd yn fain ac yn hir ac yn rhyfeddol o esmwyth, o ystyried ei bod hi wedi bod yn wraig fferm ers dros chwarter canrif. Edmygodd y dwylo oedd yn gorffwyso'n osgeiddig ar lyw'r car wrth iddi dramwyo'r unig ddarn syth o'r lôn.

Doedd hi ddim mewn hwyliau da i fynd i gyfarfod â'r dyn 'ma, beth bynnag oedd ei enw. Roedd hi wedi treulio'r diwrnod ar ei hyd yn glanhau un o'r bythynnod gwyliau roedd hi'n eu gosod i ymwelwyr, ar ôl i deulu ffroenuchel o berfeddion Lloegr, a oedd wedi gweld bai ar bob dim yn eu lleisiau-taten-boeth wrth iddi eu croesawu, adael llanast drybeilig ar eu holau. Roedd hi wedi bwriadu edrych ar y llythyr roedd hi wedi'i dderbyn gan y dyn dros baned cyn cychwyn ond, rhwng popeth, prin roedd hi wedi cael cyfle i gymryd cip ar y manylion roedd cwmni Bythynnod Braf wedi'u gyrru ati. Ymbalfalodd yn ei hymennydd am enw, am unrhyw wybodaeth y gallai ei dwyn i gof, gan geisio yr un pryd shyntio'i dicter a'i diflastod i ryw seidin yng nghefn ei meddwl.

Dic? Ted? Rhywbeth felly. Talfyriad, yn sicr. Bob? Ia,

roedd Bob yn swnio'n ôl-reit. Bob Williams. Y Bob Williams oedd wedi etifeddu bwthyn gan ryw hen berthynas neu'i gilydd, ac a oedd am gael cyngor ynglŷn â'r gwaith fyddai angen ei wneud ar yr eiddo cyn y gallai ei gofrestru gyda chwmni Bythynnod Braf a'i osod i ymwelwyr. Roedd yr hyn a wnâi Bob i ennill ei damaid wedi diflannu i'r niwl, ond roedd hi'n cofio i'r sbrigen oedd yn gweithio yn swyddfa Bythynnod Braf ddweud wrthi ei fod wedi gofyn yn arbennig am gyfarfod ar ddiwedd prynhawn.

Wrth gwrs, meddyliodd, wrth i'r ellyll o signalwr symud y pwyntiau a chaniatáu i'r trên ddianc drachefn – wrth gwrs, pe na bai'r hoeden hy 'na efo'r bysedd sosej a'r crempog o golur wedi gwneud llygaid llo ar Huw, byddai hi, Alwen, yn dal i fyw yn ei chartref ei hun ac yn gofalu am yr holl fythynnod roedd hi wedi gweithio mor galed i'w hadfer. Roedd hi wedi rhoi cymaint i'r busnes – wedi adnewyddu'r bwthyn ger y tŷ ffarm yn gyntaf, ac yna wedi addasu'r hen adeiladau ym mhen pellaf y ffarm yn dri bwthyn atyniadol arall. A'r rheiny, drwy sawl cyfnod enbyd o anodd, yn cadw'r ffarm ar ei thraed.

A rŵan, dyna lle roedd Miss Thick Pork yn ei lordio hi dros ei chartref hi, a hithau, Alwen, yn byw yn un o'i bythynnod gwyliau hi ei hun ar gyrion pellaf y ffarm. Fel lojar neu esgymun neu wahanglwyf. Ac, yn ogystal â dal i osod y ddau fwthyn arall i ymwelwyr, roedd hi bellach yn gweithio i gwmni Bythynnod Braf mewn ymdrech i gadw dau ben llinyn ynghyd a pheidio mynd yn hollol, hollol boncyrs. O leiaf roedd y gwaith yn ei chael hi allan o'r tŷ, hyd yn oed os oedd bron pawb roedd hi'n eu cyfarfod yn mynd ar ei nerfau mewn rhyw fodd neu'i gilydd. Debyg mai hi oedd wedi mynd yn fyr ei hamynedd. Dim ond gobeithio bod y ffliwsi wedi cael criw i mewn i'r bwthyn ger y tŷ oedd yn smygu fel stemars, yn yfed gwin coch o ograu wrth eistedd ar bob dodrefnyn lliw golau, ac wedi bwyta cyrri mwyaf drewllyd y bydysawd i bob pryd am wythnos gyfan. A heb olchi'r un llestr ar eu holau chwaith! A bod yr hwch yn chwysu fel . . . wel, fel mochyn, wrth gwrs, wrth sgwrio a sgrwbio ar eu holau yng ngwres y prynhawn.

Dal i fwynhau'r paradwys meddyliol hwn roedd Alwen pan sylweddolodd ei bod wedi colli'r tro yn y lôn roedd hi i fod i'w gymryd. Damia, byddai'n rhaid iddi hi drio cael hyd i le i droi rownd rŵan.

Doedd o'n dal ddim yn siŵr iawn pam bod Anti Heti wedi gadael y bwthyn iddo. Toeddan nhw fawr o deulu, wrth gwrs, ond roedd o wastad wedi cael yr argraff nad oedd hi'n meddwl llawer ohono fo, ac mai Tiddles a Blackie, a'u tebyg niferus, fyddai'n elwa'n hael pan fyddai Anti Heti druan yn cicio'r bwced. Nid na fyddai o'n cael croeso pan fyddai'n galw i'w gweld hi o bryd i'w gilydd, ond byddai bob amser yn pechu trwy eistedd yng nghadair un o'r cathod, neu wrth wneud ymdrech aflwyddiannus i gael gwared â'i sgonsan yn y dirgel pan gredai iddo sbotio blewyn yn y menyn oedd wedi'i daenu arni. Diolch mai dim ond dwy gath oedd gan Anti Heti – nad oedd hi wedi troi'n un o'r hen ferched 'na sy'n hel cathod fesul dwsin.

Edrychodd ar ei oriawr – roedd o ryw ychydig ar ei hôl hi. Roedd ei gleient olaf am y diwrnod yn hwyr yn cyrraedd, a hynny wedi gwneud smonach o'i amserlen arfaethedig fyddai wedi caniatáu iddo gyrraedd tŷ Anti Heti mewn da bryd. Roedd o wedi chwarae efo'r syniad o werthu'r lle, ond daeth rhyw chwiw sentimental drosto i ddal ei afael ynddo. Ac er ei fod yn gwbl fodlon yn y fflat helaeth a moethus uwchben ei bractis, pwy a ŵyr na fyddai, rywbryd yn y dyfodol pell – pan fyddai'n ymddeol, dyweder – am symud i fyw i gefn gwlad. A byddai llogi'r tŷ i ymwelwyr yn fodd o'i orfodi, i bob pwrpas, i gadw'r lle mewn cyflwr da, ac yn dod â thipyn o arian ychwanegol i mewn. Nid ei fod yn meddwl am ymddeol nac yn bwriadu gwneud hynny am flynyddoedd lawer. Nag oedd, wir. Ac roedd y fflat yn ddelfrydol ar gyfer ei anghenion presennol, ac yn llawn eitemau oedd yn adlewyrchu i'r dim ei chwaeth soffistigedig bersonol. Ond roedd o, hyd yn oed, wedi dechrau profi effaith y wasgfa economaidd: cleientiaid yn dod ato bob chwech wythnos yn hytrach na bob mis, neu bob deufis yn hytrach na bob chwech wythnos. Yn sicr, byddai'r incwm o dŷ Anti Heti yn rhywbeth i'w groesawu.

Anwen 'ta Alwen oedd enw'r wraig roedd o'n cwrdd â hi? Alwen, roedd o bron yn siŵr, oedd ei henw. Cymerodd gip sydyn ar ei oriawr wrth roi'r arwydd priodol a throi trwyn y car wrth gynffon y car o'i flaen am y lôn fechan a arweiniai i dŷ Anti Heti.

Ar y dot, diolch am hynny: doedd o ddim am wneud argraff wael ar y wraig 'ma cyn dechrau. A fyddai dim angen iddo boeni am flew yn y menyn heddiw, chwaith.

'Chi ydi Bob, ma raid? Falch iawn o'ch cyfarfod chi. Alwen ydw i, o gwmni Bythynnod Braf.'

'Bob . . .? O, ia, braf iawn eich cyfarfod chithau, Alwen. Mae'n ddrwg gen i nad oeddwn i yma i'ch croesawu – hwyr yn gadael y gwaith.'

'Peidiwch â phoeni dim. Eich amseru'n berffaith, fel dach chi'n gweld. Mi gollais i'r tro, a fuo raid i mi droi rownd a thrio eto. Pen yn y gwynt!'

'Wel, rydan ni yma rŵan, beth bynnag. Dyma ichi dŷ

Anti Heti. Neu'r Hafod, fel sy ganddoch chi ar eich ffurflen, siŵr o fod. Ond "tŷ Anti Heti" fydd o i mi byth.'

'Deall yn iawn – ac mae golwg glyd arno fo, a lleoliad hyfryd. Oeddach chi'n agos iawn at eich modryb?'

'Ddim yn arbennig o agos, ond mi fyddwn yn galw i'w gweld hi cyn amled â phosib. Ond ddim cyn amled ag y dylwn i, debyg. A bod yn onest efo chi, roedd o'n dipyn o sioc i mi ei bod hi wedi gadael Hafod i mi. Ond, wedi deud hynny, tydan ni fawr o deulu i gyd.'

'Mae'r ardd yn dwt iawn, Bob, a digon o le yma i osod bwrdd a chwpwl o gadeiriau, neu fainc, i bobl gael eistedd a mwynhau'r olygfa.'

'Oes, oes. Mae'r ardd ar ei gorau yn yr haf fel hyn. Ac mae 'na ardd fach deidi yn y cefn hefyd. Os awn ni rownd ochr y tŷ, heibio'r talcen, mi fedrwch gael golwg ar honno hefyd. A deud y gwir, y ffordd yma fyddwn i'n dod bob amser pan fyddwn i'n ymweld ag Anti Heti, a mynd i mewn trwy'r drws cefn. Yn y gegin fyddai Anti Heti yn treulio'r rhan fwyaf o'i hamser.'

'I'r dim. Cerwch chi gyntaf, Bob, i arwain y ffordd.'

'Iawn. Gwyliwch rhag ofn i chi sefyll mewn ca. . . Rhag ofn i chi faglu.'

'Ydi, mae o i gyd yn swnio'n frawychus ar y dechrau, meddwl am y gwaith sy angen ei wneud ac ateb yr holl ofynion. Ond mi welwch wrth fynd yn eich blaen mai synnwyr cyffredin ydi'r rhan fwyaf o'r pethau 'ma.'

'A be ydi'r drefn arferol, Alwen? Ydw i'n gadael i chi wybod pan fydda i wedi gorffen pob dim? Neu . . .?'

'Wel, mi fedrwch chi wneud hynny, os ydach chi'n teimlo'n ddigon hyderus i fynd ati a chwblhau'r gwaith i gyd, ac yna mi ddo' innau i'ch cyfarfod yma efo mwy byth o waith papur a chamera ar gyfer tynnu lluniau. Ond mae'r rhan fwyaf o bobl, yn enwedig y rhai sy'n newydd i'r busnes bythynnod gwyliau 'ma, yn hoffi trefnu cyfarfod neu ddau wrth i'r gwaith fynd rhagddo, er mwyn sicrhau eu bod yn deall ac yn ateb y gofynion. Ac mae croeso i chi ffonio neu ebostio unrhyw adeg, taech chi am holi ynglŷn ag unrhyw beth.'

'Diolch, o'n i'n meddwl fy hun wrth i ni fynd o gwmpas y tŷ y byddai hynny'n help, ond toeddwn i ddim yn lecio gofyn, rhag ofn i chi feddwl mod i'n achos anobeithiol cyn dechrau!'

'Ddim o gwbwl. Mae'r lluwch gwaith papur 'ma'n felltith, ac yn codi ofn ar bawb. Yn enwedig, fel y dwedais i, os ydach chi'n gwneud hyn am y tro cyntaf. Hen fyd felly ydi o erbyn hyn, yntê? Angen ticio dau focs i gael codi o'ch gwely yn y bore, a llenwi ffurflen arall er mwyn cael caniatâd i anadlu!'

'Rydach chi'n llygaid eich lle, Alwen. Hen fyd hurt ydi o – ticio bocsys yn ddiddiwedd, lluwchfeydd o waith papur, a dim llwchyn o synnwyr cyffredin i'w gael yn unman.'

'Gobeithio wir nad oes yna neb yr ochr bella i'r gwrych acw'n gwrando arnon ni'n mynd trwy'n pethau – rydan ni'n swnio fel dau hen gant!'

'Dach chi'n iawn – dangos ein hoed! Nid mod i'n awgrymu am eiliad, wrth gwrs, eich bod . . .'

'O, mi fydda i'n teimlo o leia gant a hanner yn aml iawn, Bob. Ond dyna ddigon o roi'r byd yn ei le am un diwrnod, dybiwn i, neu yma byddwn ni.'

'Siŵr iawn – rydw i'n eich cadw chi rhag mynd adref.'

'Ddim o gwbwl, ond dwi'n siŵr bod gennych chi bethau eraill i'w gwneud heno. Reit, yn ôl at y lluwch. Os gwnewch chi lofnodi'r ffurflen yma i mi, os gwelwch yn dda? Jest i gadarnhau mod i wedi dod i'ch cyfarfod yma?'

'Rhag i'r heddlu cudd yn y swyddfa ddechrau amau eich bod wedi treulio'r prynhawn ar ei hyd yn eistedd â'ch traed i fyny'n yfed te a gwylio sothach ar y teledu?'

'Mae'n amlwg eich bod yn eu hadnabod, Bob! Dyna ni, diolch yn fawr. A rŵan, mi wna innau'i llofnodi hefyd. "Wil Roberts" . . .? Nid Bob Williams? A finna wedi bod yn eich galw'n Bob trwy'r amser!'

'Cachu mochyn sionc!' meddai wrthi'i hun.

From: <wroberts.traedtwt@btconnect.com>
To: <alwenbythynnodbraf@btinternet.co.uk>
Subject: Cynnydd a dodrefn
Date: Mon, 20 Feb 2012 19:56:03

Alwen,
Falch eich bod yn hapus efo'r datblygiadau hyd yn hyn, a diolch yn fawr am eich cyngor a'ch cymorth yn ystod eich ymweliadau. Prin y byddai Anti Heti'n nabod y lle! Unwaith y bydd y peintio wedi'i orffen, mi fydd yn bosib gweld yn iawn gymaint goleuach ydi'r ystafell molchi a'r gegin erbyn hyn.

Y dodrefn fydd hi nesaf – lliwiau niwtral a golau rydach chi'n eu hargymell, yntê? A phethau sy'n hawdd eu glanhau, wrth reswm.

Er mod i'n edrych ar f'ôl fy hun yn y fflat ers blynyddoedd, mae adfer tŷ fel hyn wedi bod yn gromlin dysg go serth!

Gobeithio bydd popeth yn ei le o fewn yr wythnosau nesaf.
Cofion,
Wil

From: <alwenbythynnodbraf@btinternet.co.uk>
To: <wroberts.traedtwt@btconnect.com>
Subject: Re: Cynnydd a dodrefn
Date: Tues, 21 Feb 2012 09:08:23

Helô eto, Wil,
Dim problem o gwbwl. Falch mod i'n gallu bod o gymorth. Dwi'n siŵr na fydda innau'n nabod y lle erbyn f'ymweliad nesaf. Ia, lliwiau niwtral a/neu olau – o fewn rheswm – haws wedyn cael hyd i rywbeth sy'n matsio, fel byddwn ni'n deud, petai rhywbeth yn cael ei dorri neu'i golli. Ac yn sicr, pethau hawdd i'w glanhau, nid yn unig er mwyn lleihau baich y gwaith glanhau ei hun, ond er mwyn arbed rhyw ychydig ar eich poced hefyd. Mae damwain efo gwydraid o win coch yn gallu creu andros o lanast!

Edrych ymlaen at ddod draw i'r Hafod eto cyn bo hir.

Peidiwch â gweithio'n rhy galed!
Cofion,
Alwen

'Does gynnoch chi ddim rheswm yn y byd i ddigalonni, Wil, wir i chi. Rydach chi wedi gneud gwyrthiau yma mewn chydig fisoedd, a dim ond manion bethau ydi'r rhain. Ond mae'n haws i mi ddeud wrthach chi rŵan na'ch bod chi'n . . .'

'Na, na, deall yn iawn. Dwi'm yn gweld bai arnoch chi o gwbwl, Alwen. Fel dach chi'n deud, haws gneud pethau'n iawn rŵan i arbed sdrach nes mlaen. Jest mod i chydig yn siomedig – meddwl mod i wedi dod i ben o'r diwedd.'

'Rydach chi'n gwneud i mi deimlo'n rêl hen gnawes!'

'Ddim o gwbwl – fyddwn i byth wedi dod cyn belled â hyn heb eich help chi.'

'Byddech, siŵr. Dowch, Wil, dyna ddigon am heddiw – amser mynd adre. Mae golwg wedi ymlâdd arnoch chi.'

'Mi ydw i'n reit flinedig, a deud y gwir. Hyd yn oed â phobl eraill yn gneud y gwaith arbenigol i gyd, mae'r misoedd diwetha 'ma wedi bod yn dalcen caled. Tawn i wedi sylweddoli o ddifri ar y dechrau faint o waith oedd angen ei neud, go brin y byddwn i wedi cychwyn arni!'

'Wel, mae gynnoch chi fwthyn gwyliau pum seren i ddangos am eich holl waith caled. Mi fyddan nhw'n tyrru yma o bedwar ban, gewch chi weld.'

'Unwaith y bydda i wedi cwblhau'r manion, 'te.'

'Unwaith y byddwch chi wedi cwblhau'r manion. A manion ydyn nhw, cofiwch. Ylwch, Wil, peidiwch â meddwl mod i'n bod yn hy, ond os nad oes gynnoch chi rywbeth ar y gweill heno, fasach chi'n lecio dod adre efo fi am damaid o swper? Mae golwg dyn sy'n rhy flinedig hyd yn oed i agor tun bîns iddo fo'i hun arnoch chi!'

'O wel, mi fyddwn i wrth fy modd, diolch. Os ydach chi'n berffaith siŵr – dwi'm isio . . .'

'Dyna ni, dyna hynna wedi'i setlo. Dilynwch fi, Wil.'

'Oedd y pryd yna'n fendigedig, Alwen, diolch i chi.'

'Twt lol, mond omlet a rhyw fymryn o salad oedd o. Steddwch yn fanna ac mi wna i banad i ni. O leia, rydach chi'n edrach fel tasach chi wedi ailymuno efo'r hil ddynol rŵan.'

'Ydw, dwi *yn* teimlo'n well rŵan, diolch. Bwyd blasus a chwmni da yn foddion gwerth chweil.'

'Ydyn, debyg. Heblaw am ambell ymweliad gan y

plant, prin bydda i'n gweld neb yma. Mae hi'n braf cael cwmni.'

'Mae'r tŷ 'ma'n edrach yn hyfryd gynnoch chi.'

'A bod yn onast efo chi, Wil, dwi'n dal i deimlo fel dynas ddiarth yma, fel tawn i ar ryw wylia hunllefus, di-ben-draw.'

'Ma'n ddrwg gen i – rhoi nhroed ynddi hi. Dwi'n siŵr ei fod o'n deimlad od iawn. Gwbod bod eich hen gartre fawr mwy na thafliad carreg i ffwrdd.'

'Ydi . . . Dyma chi'ch panad. Hen dro'ch bod chi'n gorfod gyrru, neu mi faswn i'n gallu cynnig gwydraid arall o win i chi. Ond mae'r hen banad cystal â dim weithia.'

'Ydi wir. Diolch.'

'Fydda ots gynnoch chi tawn i'n tynnu'r sgidia 'ma? Ma nhraed i'n hannar fy lladd erbyn yr adeg yma o'r dydd.'

'Nac'di, siŵr iawn. Gnewch fel y mynnoch chi. Wedi'r cwbwl, 'ych cartre chi ydi o, Alwen. O daria, dyna fi eto . . .'

'Anghofiwch am y peth, Wil, wir i chi. O, dyna welliant. Faswn i'n lecio deud mod i wedi difetha nhraed wrth dreulio blynyddoedd mewn sgidiau sodlau main, ond gwaetha'r modd, treulio blynyddoedd mewn welingtons dwi wedi'i neud!'

'Wn i! Gadwch i mi dylino'ch traed chi, Alwen. I ddiolch am fy swper. Dudwch wrtha i ble i gael hyd i bowlen a thywel. A pheidiwch â meiddio symud o'r gadair 'na!'

Roedd hi wedi colli arni'i hun. Roedd hi wedi mynd yn honco bonco, yn dw-lal, yn wirion bost. Roedd hi'n dri o'r gloch y bore, roedd hi'n gorwedd yn ei gwely, roedd hi'n hollol effro, ac roedd pob math o aflonyddwch yn cyniwair yn ei chorff a'i meddwl wrth iddi ail-fyw'r profiad bendigedig gafodd hi wrth i Wil dylino'i thraed. Yn sicr, roedd arni hi angen mynd allan mwy. Roedd hi wedi troi'n hen ferch hesb, chwerw, rwystredig, heb yn wybod iddi'i hun. Byth ers i'r ffliwsi o hwch flonegog snwfflian ei ffordd yn farus dros y gorwel, roedd rhyw ddarn, neu'n wir sawl darn ohoni wedi cael ei rhoi allan i bori. A hithau wedi cau'r giât, a'i bolltio, a hoelio estyll arni, ar eu holau. Doedd neb wedi cyffwrdd mor dyner ynddi ers . . . na, doedd hi ddim yn medru cofio. A deud y gwir, heblaw am ambell goflaid sydyn gan un o'r plant yn ystod un o'u hymweliadau prin, doedd neb wedi cyffwrdd ynddi o gwbwl ers . . . ers wyddai hi ddim pryd.

Be ddaeth dros ei phen hi i gytuno i'r fath ffwlbri, wyddai hi ddim. A be ddaeth dros ben Wil i awgrymu'r peth yn y lle cynta? Wedi'r cyfan, dim ond omlet a deilen neu ddwy wnaeth hi iddo i swper – nid mynd allan i'r goedwig i hela mamoth, cyn torri stecan hefo'i dannedd oddi ar yr anferthedd blewog a'i llusgo'n ôl i'w hogof (hynod chwaethus, wrth gwrs), a'i choginio iddo uwchben tanllwyth o dân.

Reit, roedd hi'n mynd i'r gegin i neud paned, wir, a chwilio am ryw sothach i'w wylio ar y teledu-trwy'r-nos. Byddai unrhyw ffolineb oedd gan hwnnw i'w gynnig yn gallach na'r hyn oedd yn troelli yn ei meddwl hi ei hun ar hyn o bryd.

Sut gallai hi wynebu Wil eto, wyddai hi ddim. Roedd gan Miss Pork Scratchings lawer i ateb drosto.

Edrychodd Wil yn hiraethus ar y botel wisgi, ond na, doedd wiw iddo gymryd gwydraid arall. Neu byddai'r hen ledis i gyd yn gallu arogli'r ddiod gadarn ar ei anadl yn y bore wrth iddo drin eu traed, a byddai'n colli'i gleientiaid i gyd a byddai'n rhaid iddo werthu'i bractis, gan adael dan gwmwl o gywilydd alcoholaidd a mynd i fyw mewn gwarth a thlodi enbyd yn nhŷ Anti Heti. A dechrau hel cathod amddifad.

A hynny ar ben y ffaith y byddai Alwen yn sicr, erbyn hyn, o fod wedi dod i'r casgliad mai rhyw lun ar byrfyrt oedd o, gyda ffetish gwyrdroëdig am draed. A'i bod hi'n falch o gael ei wared o'i thŷ.

Doedd o ddim wedi trin traed bach mor ddel ac mor feddal â rhai Alwen erioed. Roedd dim ond meddwl amdanynt, ac am eu perchennog, yn creu anesmwythyd anghyffredin yn ei gorff. Toedd o wedi ymdrin â channoedd o draed yn ei amser – a'r un ohonyn nhw wedi cael yr effaith yma arno. Dyn yn ei oed a'i amser. Be nesa?

Estynnodd am y botel. Modfedd, byddai'n gallu cyfiawnhau caniatáu modfedd arall o'r hylif euraid iddo'i hun.

From: <wroberts.traedtwt@btconnect.com>
To: <alwenbythynnodbraf@btinternet.co.uk>
Subject: Dod i ben
Date: Mon, 12 March 2012 18:27:34

Annwyl Alwen,
Diolch yn fawr am y swper ac am eich cwmni.

Dim ond gadael i chi wybod bod y manion bellach wedi'u cwblhau, a bod yr Hafod, hyd y gwela i, yn barod. Edrychaf ymlaen at eich ymweliad, ac at lofnodi gweddill y gwaith papur perthnasol. Gobeithio y byddwch yn hapus efo'r gwaith.

Byddwn yn falch iawn petaech chi'n fodlon bod yn westai i mi am swper yn y Llew Gwyn yn y dre 'ma

wedi'r cyfarfod terfynol yn yr Hafod, fel arwydd o'm gwerthfawrogiad o'r holl gymorth a chefnogaeth rydach chi wedi'u rhoi i mi yn ystod y misoedd diwetha 'ma.
Cofion,
Wil

From: <alwenbythynnodbraf@btinternet.co.uk>
To: <wroberts.traedtwt@btconnect.com>
Subject: Re: Dod i ben
Date: Mon, 12 March 2012 18:46: 01

Annwyl Wil,
Falch o glywed ganddoch chi. Roedd yn braf iawn cael eich cwmni chithau.

Dwedwch chi pa bryd sy'n gyfleus ar gyfer cyfarfod yn yr Hafod, ac mi fydda i yno. Diolch yn fawr am y gwahoddiad i swper. Fyddwn i wrth fy modd, a diolch i chi.
Cofion,
Alwen

'Jest panad o goffi a . . . a wedyn, ffonia i am dacsi i fynd â chdi adra.'

'Coffi a . . . a tacsi?'

'Coffi a tacsi. Heblaw . . .'

'Heblaw be, Wil?'

'Heblaw basat ti'n licio i mi . . .?'

'Dylino nhraed i, ia Wil? O'n i'n dechra meddwl na fasat ti byth yn gofyn!'

Tra byddwn

Guto Dafydd

Gwyliodd gwmwl yn croesi'r awyr, yn llipa yn ei gadair, heb wybod am faint: gallai fod yn oriau, yn eiliadau hefyd. Roedd o wedi dysgu colli trac ar amser yn y dyddiau hir (byr) y bu'n eistedd wrth ei hymyl. Edrychodd drwy'r ffenest lydan. Roedd y foryd a'r mynyddoedd y tu hwnt iddi'n gyson gyfnewidiol. Heddiw, edrychai'r foryd fel roedd hi i fod. Crëyr glas – prin, y dyddiau hyn – yn cadarnhau'r perffeithrwydd.

A gweddïodd am i fellt hollti'r awyr, am i'r awyr dduo, am i law mawr dresio'n ddigymrodedd ar y gwydr.

Roedden nhw wedi fframio'r llun yma gyda'i gilydd. Cyn adeiladu'r byngalo roedden nhw wedi siarsio'r pensaer fod eisiau ffenest mor eang â phosib yn y fan hon. Dod yno pan oedd y waliau'n newydd, a hetiau caled am eu pen, a gweld y llun gyntaf rhwng brics concrit, drwy sgaffaldiau. Gosod seddi wedyn o flaen sgrin sinema'r ffenest. Doedd dim angen lluniau eraill ar y pared. Roedd hi'n olygfa i fynd yn hen o'i blaen.

Ond ofer oedd dychmygu'r ymddeoliad hir, glwth, y paneidiau ar gadeiriau esmwyth a rhannu nofelau tew ei gilydd. Roedd gan gorff Mair syniad arall.

Roedd hi'n dawel heddiw. Roedd wythnos y galaru defodol ar ben – cofleidio ffarwél oedd cofleidio'r cnebrwng. Am wythnos, roedd gofyn i bobl wneud paneidiau iddo, sôn am yr hen ddyddiau, gwneud prydau, addo y bydden nhw'n gwneud mwy efo'i gilydd, cludo cêcs, doethinebu ynghylch angau. A'r angladd wedi bod, doedd gan neb gyfrifoldeb ato.

Ond canodd y ffôn.

'Helô.'

'Gwynfor. Gwynfor, 'ngwas i.' Llais Elwyn, ei hen ffrind. 'Sut hwyl?'

'Ddrwg calon gen i beidio cysylltu'n gynt. Bora 'ma ces i'r llythyr.'

Roedd Elwyn yn byw yn Nhenerife y dyddiau hyn gyda Celia, ei ail wraig, honno o'r tai cyngor.

'Paid â phoeni. Mi faswn wedi ffonio ond doedd gen i ddim rhif.'

'Ond ta waeth am hynny. Gwyn, 'ngwas i, roedd hi'n ddrwg gen i glywed. Ro'n i'n gwybod ei bod hi'n sâl ond, ond . . . 'di rhywun ddim yn dychmygu.'

Gwyddai y dylai ddweud rhywbeth.

'Ond deud 'tha i, Gwynfor – sut wyt ti? A deuda'r gwir.'

'Duw, iawn sti, a styriad.'

'Dwi – a Celia hefyd – yn torri'n clonna ac yn poeni amdanat ti. Tyrd aton ni am wythnos. Wneith fyd o les iti. Peidio mynd i hel meddylia – codi pac, gweld rhywla newydd. Ty'd – paid â dadla.'

Ceisiodd ddadlau ond roedd hi'n draddodiad yn eu cyfeillgarwch fod Elwyn yn ennill. Felly aeth i ddal y bws i'r dre.

Doedd o ddim yn gyfarwydd â llefydd gwerthu gwyliau. Gadawodd y ddynes iddo sefyll ar ganol y llawr yn cael ei ddallu gan liwiau'r cylchgronau cyn gofyn allai hi ei helpu.

'Ia, diolch. Isio hedfan i Denerife ydw i, os oes modd. Yn yr wsnos nesa 'ma.'

Ai sbeit oedd yn y wên?

'Tenerife – iawn. Lle braf. Haul rownd ril.'

Doedd ganddo ddim byd i'w ychwanegu.

'A ma'r naitlaiff yn dda 'fyd. Ga' i weld be alla i ga'l i chi. Ydach chi isio hotel?'

'Na – dim diolch.'

'Reit, ga' i dîl da – rîli da – i chi, ond mae 'na snag. Mae'r ffleit bora fory.'

'Pa mor fora fory?'

'Saith. 'Sa angen bod yn yr êrport cyn pump.'

Bu'r nosweithiau diwethaf yn rhai effro neu hunllefus, felly doedd cychwyn am dri'n poeni fawr arno.

'Dîl,' meddai, heb holi'r pris.

I'r llyfrgell. Pan aent i garafanio – i Ardal y Llynnoedd, Devon ella, i Lydaw ar flynyddoedd anturus – fe'i trwythai ei hun yn hanes yr ardal. Doedd dim rheswm dros newid. Cafodd lyfr am hanes Ynysoedd Canaria (yr Ynysoedd Dedwydd, os cofiai'n iawn), canllaw i atyniadau Tenerife, a llyfr brawddegau Sbaeneg (ar ôl sicrhau bod atodiad yn y cefn ynghylch y gwahaniaethau ynganu yn Nhenerife).

Doedd ganddo ddim awydd twrio yn ei wardrob drwy'r pnawn, felly aeth i'r siop ddillad dynion ar y gornel. Neidiodd gŵr bach ato wrth iddo gerdded drwy'r drws.

'A! Mr Rees. Beth alla i ei neud i chi heddiw 'ma?'

'Dwi'n mynd i'r haul am ws'os, ac angen rhywbeth i'w wisgo.'

'Dim problem, jyst dilynwch fi, Mr Rees. Mrs Rees ddim efo chi?'

'Wedi marw, gen i ofn,' meddai'n sydyn, a chael mymryn o bleser o weld y dyn bach yn pesychu ac ymddiheuro.

Daeth o'r siop â thri trowsus ysgafn lliw hufen, tri fersiwn byr o'r un trowsus, chwe chrys mewn gwahanol liwiau pastel eitha llwm, dwy fest dynn, het wellt a thrôns bach nofio. Cymerodd bum munud i'r gŵr bach llygodaidd ysgrifennu'r dderbynneb.

I'r cemist. Doedd o ddim yn credu bod angen pigiadau i fynd i Denerife ond holodd y ferch yn y cemist yr un fath.

"Nes i'm goro ca'l, ia.'

Cafodd ei sicrhau bod y sbectol haul a ddewisodd yn ddigon tywyll i wrthsefyll haul yr ynys, a phrynodd dair potel o'r eli haul cryfaf.

Aeth adre i estyn ei basbort a'i sandals.

Yr arfordir yn wag a'i gar yn gwibio am Fanceinion. Roedd y car yn teimlo'n wag; mentrai wneud dros 70 a dyheu am glywed cerydd. Stopiodd yn y gwasanaethau. Doedd neb arall yn y cyntedd eang ar wahân i ddreifar lorri mawr a boi bach ar dractor llnau, a phrynodd goffi gan y ferch â'r llygaid gwag. Cyn ailgychwyn, symudodd ei gês i'r sêt wrth ei ochr.

Proseswyd Gwynfor fel y lleill i gyd – ildio'i fag, mynd drwy'r sganar. Awr a thri chwarter. Setlodd ar fainc fetal a dechrau darllen am hanes Tenerife. Yn fyr, ffurfiwyd yr ynys gan ffrwydradau llosgfynydd er mwyn i gaethweision gael tyfu siwgwr a Saeson gael torheulo.

Fel dafad drwy'r giatiau; cyflwyno'i basbort; i'r awyren. Roedd pawb arall yn deuluoedd cyfleus o bedwar, felly sodrwyd Glasweges feddw wrth ymyl Gwynfor. Chwyrnodd gysgu ar ei ysgwydd nes roedden nhw uwchlaw Sbaen. Deffrodd pan ddaeth brecwast: omlet a sosej anaddawol yr olwg mewn tun ffoil, ond â'r blas yn wefreiddiol. Wedi'r pryd, aeth Gwynfor ati i ymarfer Sbaeneg yn ei ben: 'Helô, sut hwyl?' 'Ble mae'r tŷ bach?' 'Ai ffordd hyn mae'r amgueddfa?' 'Wnei di 'mhriodi i?' Ond cyn hir diflasodd ar sgwrsio a syrthio i gwsg melys.

Gwasgodd y fenyw feddw ei law wrth i'r awyren grynu a glanio.

'Gas gen i hynna,' meddai.

I lawr y grisiau i'r llain a'r haul yn taro. Teimlo'n foel am y tro cyntaf wrth i'r haul ddal ei gorun. Teimlo'i gefn a'i geilliau a'i geseiliau'n wlyb. Cerddodd wysg ei ochr drwy'r coridor gwydr i nôl ei fag er mwyn ceisio gweld a oedd ganddo chwys tin – ond ni welai ond bryncyn tywodlyd ac awyr eang, las.

Gwelai 'Rees' ar ddarn o bapur gan ddyn tal a dynes gron. Roedd yr haul yn siwtio Elwyn: ei wallt yn drwchus a chlaerwyn, ei groen fel cneuen. Gwisgai ei chinos yn well na Gwynfor. Roedd llygaid, trwyn a cheg Celia (ail wraig Elwyn) wedi'u gwasgu'n agos at ei gilydd. Ei gwallt yn denau a du potel. Croen coch (nes at biws ar y trwyn).

Ysgwyd llaw. Coflaid gan Celia.

Roedd gan Elwyn sbortscar. Gwasgwyd Gwynfor a'i gês i'r cefn. Roedd y to ar agor, felly câi Gwynfor drafferth clywed Elwyn yn esbonio mai dyma'r bywyd, bod haul yn codi ysbryd dyn ac anifail, ac mai Cymru lawog oedd cartref digalondid. Roedd oglau chwistrell llnau'n gryf yn y car.

Tuedd Elwyn erioed oedd glanio ar ei draed. Llosgodd hanner yr ysgol i'r llawr ac osgoi cosb. Gadael Anwen (cerdd dant; gweu; Merched y Wawr; hogan smart) wedyn, a'i gael ei hun efo Celia. Roedd honno'n awyddus i fuddsoddi pres Elwyn yn Nhenerife, felly cyhoeddodd un diwrnod ei fod yn 'madael. Aeth, a chael y gwres a'r hamdden yn hyfryd.

'Sut wyt ti, Gwynfor – ynat ti dy hun, 'lly?' gostyngodd Elwyn ei lais yn sensitif wrth oleuadau traffig.

Gwasgodd y sbardun, felly cafodd Gwynfor fwmial ateb amhenodol. Roedd y draffordd yn llawen ac agored yma: haul.

Gorfu i Celia fynd allan o'r car i roi rhif ar bad y giatiau haearn uchel yn y wal wen cyn iddynt lithro'n agored. Roedd Celwynia (fila Elwyn a Celia) yng nghysgod horwth o westy gwyn: ar un ochr, doedd dim i'w weld ond wal wen a ffenestri sgwâr. Ond o edrych i'r cyfeiriad arall, gwelai doeau oren ac adeiladau gwynion Playa de las Américas yn ymestyn at rimyn o draeth a môr.

Roedd y tŷ'n felynach na gwyn, a'r paent wedi cilio o'r corneli. Roedd y gwellt yn frownach na gwyrdd a dŵr y pwll yn edrych fymryn yn stêl.

'Fama 'di adra,' meddai Elwyn.

'Ac rwyt ti i'w drin o fel dy gartra di,' ychwanegodd Celia.

Heb wastraffu amser, cychwynnwyd ar brif weithgaredd y gwyliau: gorwedd. Gwisgodd sbectol haul a setlo ar y gwely haul simsan. Daethai â llyfr gydag o: *Hanes Anghydffurfiaeth Maelor*. Cilwenodd Elwyn wrth estyn ei lyfr ditectif yntau. Erbyn tri, roedd yr haul yn drwm ar aeliau Gwynfor. Cytunodd o'r diwedd i fwrw'i swildod a thynnu'i grys.

Roedd gan Elwyn drefniant â rheolwr y gwesty: gan fod cilfach biniau'r Imperial ger mynedfa'r tŷ, caent bicio yno am fwyd pan fynnent. I groesawu Gwynfor, aed ag o yno am swper.

Daeth gweinydd â Cava iddynt, a chawsant ddechrau

ar y bwffe. Cinio Sul, cyrri, *paella*, omlet, *pizza*, salad, stêcs, corgimychiaid . . . Penderfynodd na allai ei blât ddal mwy ar hyn o bryd. Doedd o ddim yn gwybod beth oedd pob dim, ond roedd yr oglau a'r lliwiau'n wefreiddiol.

Mynnodd Celia gael gwin y noson honno. Ac erbyn un ar ddeg roedd Gwynfor wedi dechrau chwerthin eto: Elwyn yn dweud yr hen straeon am y tro cynta ers 'madael, a'r chwedleua oedd yn stêl pan adawodd yn gyffrous eto.

Ond bu'n rhaid iddynt drafod Mair.

'Fedra i ddim dychmygu sut deimlad . . . colli cariad. Fel rhan o dy gorff dy hun. Mae bod efo Celia . . . mae hi wedi 'nysgu i fwynhau 'nghorff eto.'

Gyda hynny, dechreuodd Celia sugno bysedd Elwyn.

'Cofia, ti'n ffrind. Ma ffrindia'n rhannu. Os ti'n teimlo . . . os ydi dy gorff di angen . . . cofia.'

Aeth Gwynfor i'w wely.

Deffrodd i biso yn y nos. Taro swits y golau a gweld trychfil du'n rhedeg ar draws y llawr. Aeth cryd drwyddo. Taflodd ei lyfr ar ben y gocrotshan a neidio ar ben y llyfr mor dawel â phosib. Trodd y llyfr. Ar wyneb rhyw weinidog roedd y trychfil wedi'i wasgu'n hyll a dwy o'i goesau'n dal i geisio sgytlo.

Fore trannoeth, deffrwyd Gwynfor gan ubain ac ochneidio Celia, a griddfan gwely trwy'r pared.

'Ia,' ailadroddodd Celia, ac ar ôl ychydig eiliadau eto o ysgwyd rhythmig, ymunodd Elwyn â'r gri.

Gwasgodd Gwynfor ei lygaid ynghau; wnaeth hynny 'mond dyfnhau'r ddelwedd.

Syllodd ar y nenfwd.

Roedd diwrnod o weithgareddau yn yr arfaeth. I lawr â nhw i'r farchnad yn Los Cristianos. Oglau nionod byrgyrs a chwys: myrdd o bobl yn morgruga o stondin i stondin. Geriach pren, teclynnau llnau, posteri ffug, persawr, handbags, waledi, sbectols haul . . . Trawodd Gwynfor nad oedd ganddo neb i brynu presant iddo.

Roedd Celia'n systematig wrth chwilio am y pris gorau, yn hen law ar haglo, ac Elwyn yno'n gefn iddi a'r waled yn ei boced.

At gwt ar lan y môr, a chyn iddo gael cyfle i ddadlau roedd mewn ciwbicl gydag Elwyn yn newid i siwt wlyb.

Ceisiodd ddweud rhywbeth ond gwyddai y byddai'n cael slap eiriol am wrthwynebu. Cyn hir roedden nhw ar gwch a thanciau aer ar eu cefnau ac yn codi llaw ar Celia. Bownsiai'r cwch ar y dŵr. Gosododd y capten fasg am wyneb Gwynfor.

'Dwi 'di deud 'thyn nhw'n bod ni'n reit brofiadol, ne' fasan nhw'n mynnu'n hyfforddi ni,' esboniodd Elwyn. 'Rho dy fys a dy fawd at ei gilydd weithia – mae o mor hawdd â hynny.'

Eistedd ar yr ymyl, a gorfod ildio a disgyn i'r dŵr. Troelli'n afreolus cyn sythu. Bybls o'i gwmpas.

Byd distaw lle na allai Elwyn falu awyr. Glesni pŵl a'r golau'n taro nenfwd pell. Pysgod rhyfedd, disglair. Aethant i lawr at greigiau lle cysgodai crwbanod.

Cafodd Gwynfor bwl o beswch. Roedd tagu i'r bibell yn rhyfedd ac annymunol. Ciciodd a fflapiodd nes i'r hyfforddwr sylwi a mynd â nhw'n ôl i'r wyneb.

Traeth. Gorwedd yn y dŵr. Sychu. Gwely haul a nofel dditectif a gafodd o'r farchnad. Y tudalennau'n haws eu troi na *Hanes Anghydffurfiaeth Maelor*.

Cododd Celia, gan wasgu'i bol rhwng dwy ran ei bicini. Aeth i'r bar.

'Asu, ma'n anodd rheoli dy hun yma, dydi?' sibrydodd Elwyn.

'Ew, ydi?'

'Sbia rheina. Mor frown, mor ifanc . . . mor llyfn. Dychmyga dy ddwylo ar rheina, boi . . .'

Dychwelodd Celia.

'O, anghofis i sôn, 'fyd. Mae gen i fêt yn dod draw heno – ti'm yn meindio, nagwyt?'

'Ddim o gwbwl.' Cyn i Elwyn gael cyfle i ddychwelyd at sylwebaeth ar barau gwell na'i gilydd o goesau neu fronnau, plannodd Gwynfor ei ben yn ei lyfr.

Salad oedd i swper, gyda sglodion ac asennau porc. Tywalltodd Celia gan Carling yr un i Gwynfor ac Elwyn, a gwin pefriog iddi'i hun.

'Ro' i gan i oeri i Cliff hefyd.'

Pan gyrhaeddodd y gwestai roedd o'n anadlu'n drwm drwy'i fwstás ar ôl cerdded y llwybr serth at y tŷ. Crys pêl-droed Lloegr yn dynn am ei fol, bol a hongiai'n bowld dros ei siorts. Ffag a chroen brownach na brown.

'Cliff! Dda dy weld di. Dyma'n mêt i o 'nôl adra – Gwyn.'

Ysgwydodd Cliff law Gwynfor ag argyhoeddiad ond â'i ffag yn dal rhwng ei fysedd.

'Iawn, mêt?'

'Da iawn, diolch – a chitha, Cliff?'

Distawrwydd.

"Di bod yn gwylio'r ffwtbol, Gwyn?'

'Rywfaint,' meddai yntau – roedd o wedi gweld clipiau ar y newyddion.

'Be ti'n feddwl, 'ta? Hon ydi'n blwyddyn ni, sti – dwi'n teimlo'r peth yn 'y nŵr,' a disgwyl ateb gan Gwynfor.

'Mae gynnoch chi gyfle gweddol, ddwedwn i.'

''Ma chdi ddyn sy'n dallt 'i ffwtbol, Êl – mae o 'di'i dallt hi.'

Wedi i Celia dywallt lager i Cliff, ac iddo yntau gael peth o'r ewyn ar ei fwstás, roedd hi'n bryd trafod busnes.

'Hyn sgen i. Dwi am fod yn blaen – un felly ydw i. Mae'n hen bryd i ni gymryd mwy o gyfrifoldeb am ein busnes yn y dre 'ma. Mae 'na ddigon ohonon ni yma – pobl fel chdi a fi – o'r fam ynys. Allwn ni ddim gadael popeth i'r locals. Nhw sy'n rhedeg petha yma ers dwn 'im pa bryd. A sbia'r lle. Dim ysbryd dinesig cyffrous, dim menter na get-yp-an-gô. Diog ydyn nhw – Sbaniards, Gwyn. Wyddost ti amdanyn nhw: mae angen rhywun i ddangos y ffordd iddyn nhw.'

Roedd hi'n bryd cynnal etholiadau yn y dref, yn ôl Cliff, ac roedd o'n teimlo bod cyfrifoldeb dinesig ar un ohonyn nhw i sefyll.

''Dan ni'n dod o fam pob senedd, Êl – allwn ni'm gadael i'r profiad hwnnw fynd yn wast.'

A daeth at fyrdwn ei neges. Er gwaetha'i holl brofiad fel dirprwy faer Ashby-de-la-Zouch, allai Cliff ei hun ddim sefyll.

'Busnes cas efo'r dyn treth a rhyw faterion eraill – fedra i ddim sefyll etholiad ym Mhrydain eto. A dwi'm yn siŵr ydi hynny'n cyfri yn fan hyn hefyd. So chdi 'di'r boi, Êl.'

'Y fi?' gofynnodd Elwyn, gan ffugio syndod. 'Wel, dwn 'im . . . mi rois i flynyddoedd o wasanaeth i'r cyngor plwy – ond bod yn faer . . .?'

'Ddim rŵan ydi'r amser i fod yn wylaidd. Chdi 'di'r dyn i'r job. Fydda i tu ôl i ti – fyddi di'n faer tan gamp. Ddangoswn ni iddyn nhw sut i redag tre.'

Wrth fynd i'w lofft ar ôl bod yn brwsio'i ddannedd, digwyddodd Gwynfor gael cip drwy ddrws llofft Êl a Celia. Gwelodd Elwyn o flaen y drych, a'i fraich dde wedi'i dyrchafu, yn gwneud araith heb ddweud gair. Dychmygodd Celia'n gynulleidfa iddo yn ei choban, yn ei weld o'n un da.

Dim amser i oedi: y bore wedyn aeth Elwyn, Cliff a Gwynfor i gofrestru ymgeisyddiaeth Elwyn yn neuadd y dref. Doedd dim angen i Elwyn wneud llawer – roedd Cliff wedi cael llofnodion yn barod ac wedi cael digon o Smiths a Wilkinsys i'w gymeradwyo. (Roedd un enw Sbaeneg: 'Mi seiniodd Pedro 'fyd – ma gen ti'r werin ar dy ochor, ne'n staff llnau i, beth bynnag.')

Wrth i Elwyn gyflwyno'i bapurau i'r dderbynwraig, cerddai Cliff yn benuchel o gylch y cyntedd.

'Coridorau grym, Gwynfor. Does 'na ddim coridorau fatha nhw.'

Teimlodd Gwynfor mor ddwfn oedd hiraeth Cliff am ei awdurdod yn Ashby-de-la-Zouch gynt.

'Sorted. Ti cystal â bod wedi dy ethol rŵan.'

Roedd angen cael posteri a thaflenni wedi'u gwneud. Roedd Cliff yn nabod rhywun. Cerddodd y tri o neuadd y dref, heibio'r farchnad, i strydoedd bach cerrig cul yng nghysgod bloc mawr concrit. Trwy ddrws siop; eisteddai gŵr heb grys yn smygu wrth y ddesg. O'r cefn dôi sŵn byddarol gwasg yn troi.

'Miguel. Sut wyt ti 'stalwm?'

'Da, diolch,' meddai yntau yn ei Saesneg carpiog.

'Dwi angen i'r dyn yma gael sefyll etholiad, Mick. A fydd o angen posteri, taflenni – y math yna o beth. Chdi 'di'r dyn, 'de?'

'Fi, ia.'

'Reit. Tyn 'i lun o, Mick.'

Roedd Elwyn wedi gwisgo tei, drwy lwc.

'Eidïal. Bangia hwnna ar boster efo "Elwyn Jones: y boi i'r job" yn fawr arno fo. A be bynnag ydi hynny yn Sbanish. A gwna daflenni 'run fath, efo bocs i ni gael rhoi sgwennu ynddo fo. Dyn da, Mick – ddown ni i weld be sgen ti pnaw' 'ma.'

Mynnodd Elwyn ysgwyd llaw â Miguel cyn ymadael. Ceisiodd Gwynfor ddychmygu pa weithgarwch etholiadol oedd gan Cliff yn yr arfaeth at y pnawn. Rali gyhoeddus? Curo drysau?

'Dwi'n mynd â chi i'r bwyty gorau yn y dre,' cyhoeddodd Cliff, gan eu harwain at batio eang a charafán yn ei gornel. At ffenest y garafán, ac archebu:

'Tri stêc a tships. Y trimings i gyd. Rhei mawr. A thri pheint o lager.'

Roedd y patio'n wag. Cerddai myrdd heibio, yn hardd yn eu bicinis, yn anelu at y traeth, ond doedd y garafán yn codi archwaeth bwyd ar neb. Dewisodd Elwyn un o'r byrddau plastig. Yn amheus o sydyn, daeth y bwyd. Tywalltodd dyn sych mewn het cogydd lager i wydrau'r tri.

'Bwyta fel tasan ni adra, 'de hogia? Pyb gryb. Mwy o'r teip yma o fusnes sy isio yn y lle 'ma.'

Gan anwybyddu'r ffaith fod y sglodion yn chwilboeth y tu allan ond yn dal wedi rhewi yn eu craidd, bwytaodd Gwynfor. Y fadarchen fel rwber a'r stêc fel bwyd ci. Roedd Mair yn sgut am wneud stêc. Toddi 'ngheg rhywun.

Roedd ffwtbol am dri, ac amlhâi'r crysau gwynion ar y stryd. Aeth Cliff â nhw i'w local. Shed oedd honno i bob pwrpas, rhywbeth rhwng shed gwerthu trincets a shed gwerthu ffôns. Y Rangers Bar oedd yr enw, a chrogai baner yr Undeb yn llipa dros y drws.

'Jyst fel tasan ni adra. Tafarn fach gysurus – blaw nad oes angen tân glo yn y gongol.'

Roedd y dafarn yn llawn dynion, fel pe bai cyfarfod o gymdeithas gyfrin yno. Y cwbl a'u crysau'n wynion a'u hwynebau'n writgoch, oll yn yfed lager. Ffrwydrodd y lle'n unsain croch pan ddaeth yn bryd canu'r anthem. Sylwodd Gwynfor fod Elwyn yn hymian o leiaf, os nad oedd yn canu.

'Gen i deimlad da am y gêm yma. 'Leni 'di'n blwyddyn ni, hogia. Ysbryd '66. Mae o gynnon ni.'

Roedd greddf Cliff yn gywir – gwlad fach yn Affrica oedd y gwrthwynebwyr a doedd Lloegr fawr o dro'n canfod cefn y rhwyd. Neidiodd y dafarn fel un, nes bod lager yn ludiog ar ddwylo. Peint newydd gyda phob gôl; bu tair arall. (Dim ond wisgi gâi Gwynfor fel arfer, cyn noswylio: tywalltai Mair y ddiod fel y tywalltai yntau ei ffisig iddi yn y dyddiau olaf.) Ysbryd diwygiad yn y lle; 'England!' yn diasbedain. Wynebau fel torf yn gwylio crogi.

Allan tua phumf, a'r golau'n brifo'u pennau. Talodd Gwynfor €3 am botel o ddŵr. Oedodd Cliff i biso tu ôl i giosg.

O dafarn i dafarn blastig. Y lleill yn trafod eu planiau: beth gâi ei sortio yn y dre dan eu llywodraeth.

'Ti 'di bod i glwb nos o'r blaen, Gwyn?'

'Alla i'm deud 'mod i.'

'Elli di'm nychu. Dwi'm rhy hen. 'Di Êl ddim rhy hen. Raid ni fynd o'r tŷ. Cadw'n ifanc. Lle mae'r genod gwyllt yn byw a ddim yn sagio. Yfed coctels o'u bronna nhw.'

Yfed eu peintiau i'r gwaelod. Talu €15 ac i lawr grisiau.

Miwsig dawns yn drybowndian. Roedd y lle'n wag – 19.30 oedd hi. Sambwca'r un. At fwrdd.

'Fan hyn mae bywyd, 'gia.'

Syrthiodd Gwynfor i gysgu.

Deffro a chur yn rhwygo'i ben. Roedd tair merch leol wrth y bwrdd.

'Y cysgadur! Ty'd i ti gael cyfarfod 'yn ffrindia ni. Gabriela, Sara, Daniela.'

Estynnodd ei law. Plannodd y tair swsys gludiog, nwydus, awyddus, byw ar ei wyneb.

'Mae Cliff yn meddwl medar o gael gêr i ni.'

Roedd Cliff â'i law ar glun Daniela. Hithau mor bur o dlws. Edrychodd ar wynebau Cliff ac Êl – y trwynau mawr, yr aeliau trymion. Dynion dros eu trigain yn glafoerio ac yn ysu am gyffuriau.

'Dwi am 'i throi hi.'

Dim ond hanner ceisio'i atal wnaeth y lleill.

Chwydodd mewn pot blodau ar ei ffordd i'r tŷ.

Lledorweddai Celia ar gadair mewn coban oedd i fod yn atyniadol.

'Helô, chdi.'

Aeth Gwynfor i'w wely.

Benthycodd gar Elwyn ac anelu am y mynyddoedd: at y lonydd troellog a'r cytiau simsan, lle roedd y bobl yn deneuach a'r tir yn wyrddach. Heibio'r ffermydd bananas a'r stablau camelod, ac o gylch y tir wrth iddo godi. Dod i olwg copa Teide, a'r ehangder diffaith o gylch y llosgfynydd: creigiau cochion noeth a phlanhigion gwydn yn rhostio. Fel Cymru cyn i'r pridd a'r gwlybaniaeth gyrraedd. I lawr wedyn, dan ganopi'r coed ac i mewn i niwl dirybudd wrth weld y môr yr ochr arall.

Niwl ddylai weddnewid rhywun.

Ond roedd Gwynfor yn dal yn chwyslyd a hiraethus. Wrth feddwl am yr holl bethau na châi sôn wrth Mair amdanynt, melltithiodd Elwyn: fo a'i groeso, ei letygarwch, ei jôcs, ei Saeson, ei ddynes tai cyngor, ei hapusrwydd, ei ryw, ei ferched, ei gêr, ei hyder, ei ynys ddiwreiddiau, ddigynhysgaeth.

Wedi hynny, teimlai'n well. Byth ers dyddiau'r ysgol, câi byliau iachaol o gasáu'i fêt.

Pan gyrhaeddodd yn ôl roedd Celia'n cerdded rownd y gegin a'i llygaid yn goch.

'Maen nhw wedi mynd â fo, Gwynfor.'

'Pwy?'

'Elwyn. Y polîs. Dwn 'im be i'w neud.'

A gafaelodd yn dynn amdano, ei llygaid yn ddagreuol ar ei frest. Rhoddodd ei fraich yn ddiplomatig ar ei hysgwydd.

'Ddwedon nhw pam?'

'Naddo.'

'Reit. Mi a' i i lawr i'r stesion i weld fedra i ffendio be sy. Camgymeriad ydi o i gyd, siŵr o fod.'

'Paid â 'ngadael i yma'n hun.'

'Fydda i'm yn hir.'

Daeth o hyd i'r orsaf yn rhwydd.

'Mr Elwyn Jones. Ga' i weld?' gofynnodd yn ei Sbaeneg llyfr.

'Twrna?' gofynnodd y plismon yn Saesneg.

'Ia,' meddai; wyddai neb yn wahanol.

'Gwyn! Diolch byth . . .'

'Be ddoth â chdi i fama?'

'Merchaid a politics.'

'Sut?'

'Ti'n cofio'r genod 'na neithiwr?'

'Gabriela, Sara, Daniela. Roeddan nhw'n gyfeillgar.'

'Oeddan. Yn gyfeillgar iawn. Yn taflyd 'u hunan aton ni, do'ddan? Wedi i ti fynd . . .'

Sut, lle. Ataliodd Gwynfor ei ddychymyg.

'Ond nid dyna'r stori ddwedon nhw wrth yr heddlu. Rwygon nhw'u teits, pinsio'u hunain a deud bod Cliff a fi 'di mynd i'r afael â nhw. A pwy ydi'r slag Daniela? Merch y maer. Drewi, dydi.'

Ceisiodd Gwynfor gydymdeimlo â'r picil: roedd hi'n sefyllfa gas. Gwyddai y dylai fod yn llawn cynddaredd am y camgyhuddiad.

'Dwn 'im be i'w ddeud. Ti angen i mi neud rhywbeth?'

'Mae gan Cliff dwrna geith ni o 'ma, medda fo. Edrach ar ôl Celia drosta i.'

Gyda hynny, aeth Gwynfor.

Gorfu iddo dreulio'r noson honno yng nghwmni Celia tra oedd honno'n crio ac yn llowcio gwin.

Mae'n debyg y gallai fod wedi dweud y newyddion yn garedicach.

'Merchaid wedi'i riportio fo a Cliff am fynd i'r afael â nhw, ond maen nhw'n deud bod y merched yn fodlon.'

Boddai ubain Celia'r opera sebon Sbaeneg ar y teledu, ond roedd yr is-deitlau ganddo.

'Sut galla fo?'

Cododd cyn naw a mynd i nofio. Un bach oedd y pwll; aeth ar ei hyd ugain gwaith cyn pen dim. Roedd oglau sur ar y dŵr ond teimlai'n heini wrth wibio drwyddo. Ei gyhyrau'n fwy byw nag ers tro.

Âi'r ffleit am ddau: hen bryd. Roedd ynys ieuenctid tragwyddol yn iawn yn ei lle, ond roedd yn barod i fynd yn ôl i heneiddio.

Ymestynnodd yn yr haul – ei swildod wedi hen fynd. Sychodd ei wallt a'i goesau, cyn mynd i mewn i orffen pacio.

'Ti'm am fynd? Plis, paid â mynd. Alla i'm gneud . . . raid i ti aros.'

Beth oedd pris ffleit? Gallai ei newid yn rhwydd.

'Mae fy ffleit i pnaw' 'ma. Fydd o allan yn fuan iawn – mae Cliff wedi deud.'

'Na. Alla i ddim. Alla i'm aros yma amdano fo achos allwn i'm diodda'i weld o eto. Dwi'n dod efo chdi.'

'Be? Callia.'

'Fedri di mo 'ngadael i efo fo.'

Wrth aros am yr awyren sylweddolodd cyn lleied oedd ganddo i'w ddweud wrth Celia.

'Mae'n braf, dydi?'

'Ydi, reit braf.'

Roedd o ofn sgwrsio'n iawn rhag ofn iddi feddwl ei fod yn nawddoglyd, yn ei ddangos ei hun. Doedd o ddim yn ddigon hyderus i drafod â hi ar ci thir ei hun.

Prynodd Celia fag o fferins a'u rhannu.

Edrychodd ar yr wyneb bach rhy-agos-at-ei-gilydd, ar ei dillad tyn a'r rhych coch helaeth.

'Awr a hanner i fynd.'

'Dwi'm yn dallt pam mae angen bod yma mor fuan.'

Beth i'w wneud â hi? Oedd ganddi deulu i fynd atynt? Oedd hi'n disgwyl cael dod ato fo? Am beth fydden nhw'n siarad? Fyddai hi'n coginio? Fyddai hi'n eistedd yng nghadair Mair? Am ba hyd? Beth wnâi Elwyn? Roedd y peth yn hurt.

Teimlai Gwynfor yn barod i nychu, pydru a heneiddio gan edrych ar wlybaniaeth y foryd.

Safwn yn y bwlch

Manon Wyn Williams

'Fydd o ddim yn hir rŵan, 'chi – 'di cael 'i ddal yn rhwla
mae o, ma siŵr,' meddai Mrs Pryderi-Pugh, Lavender
Cottage (Eliza i'r dethol rai a ddedfrydwyd yn gyfeillion
agosa iddi), wrth sefyll yn anniddig o flaen yr arhosfan
bysiau yn ei thw-pîs samon pinc, a gair pedair llythyren
wedi'i gamsillafu mewn sbrê coch ar y wal y tu ôl iddi.
''Toes 'na gymint o betha 'sa'n gallu dal rhywun ben bora
fel hyn?'

'Mi fedra i feddwl am *un* peth, beth bynnag,' meddai
Blodwen Robaij (Miss), a safai yn ei chwman yn pwyso
ar ei bag troli, gan lyfu'r perlau bach o chwys oedd 'di
casglu ar y blew brith uwchben ei gwefl ucha hi. Roedd
honno'r teip o 'lêdi' a ddywedai'r hyn na feiddiai neb arall
hyd yn oed ei feddwl, a chael rhyw foddhad gwyrdroëdig
o neud y datganiadau mwya obsîn mewn llefydd
cyhoeddus.

'Dwi 'di alowio digon o amsar rhag ofn, beth bynnag,
achos fuo Joseph rioed y gora am godi o'i wely, 'chi – dwn
'im ar ôl *pwy* mae o'n tynnu, wir! Ac mi fasa'n syniad i ni
gael rhyw stop bach ar y ffordd i sdrejo'n coesa hefyd,
basa? Peth ola 'dan ni isio ydi dîp fên thrombosis cyn
cyrradd y cyfarfod, 'te?' meddai Mrs Pryderi-Pugh mewn
ymgais aflwyddiannus i drio cynnal pwt o sgwrs, ond
doedd Blodwen ddim yn un am smôl tôc.

''Swn i'n meddwl bod 'ych coesa chi 'di hen arfar 'fo

segurdod ymhell cyn heddiw 'ma,' meddai'r gwmanog, gan brin agor ei cheg ond eto'n fwriadol ddigon uchel i'r llall ei chlywed.

Nag oeddan, toedd Mrs Pryderi-Pugh a'r hen Flodwen ddim yn benna cyfeillion byth ers y miri hwnnw pan gonfyrtiodd Eliza oddi wrth y WI (achos un o'r rheiny ydi hi thrw-an-thrw mewn gwirionadd) at Ferchaid y Wawr, o ganlyniad i ryw 'gamddealltwriaeth' fuo efo hannar cant o dicedi raffl coll un Dolig, a gweithio'i ffordd o fewn y flwyddyn i fod yn llywydd y gangen gan roi penelin i'r hen Fiss Robaij o'i swydd a honno'n gorfod bodloni ar fod yn ysgrifenyddes. Ond cyn i'r llywydd gael cyfle hyd yn oed i feddwl am ergyd ddigon ciaidd i'w lluchio 'nôl, sgrialodd y Mini Metro C-rej hirddisgwyliedig rownd y gornel ar ddwy olwyn, cyn brecio'n stond fel mul 'di nogio o flaen y ddwy grimpan.

'O, dyma fo ar y gair! O'n i'n gwbod na 'sa fo'm yn gadael i mi sefyllian ar gongl stryd efo rhywun-rhywun yn hir iawn,' meddai Mrs Pryderi-Pugh yn smyg i gyd, rŵan bod ei charej hi 'di cyrradd. Ond fasa waeth 'ych bod chi wedi cymryd brwsh weiars a sebon carbolic at ei hwyneb o'r ffordd y golchwyd y grechwen oddi arno pan drodd ei golygon i gyfeiriad sedd gefn y cerbyd.

'Sy-*prê*-eis!'

Dwi'n siŵr bod cŵn y fro wedi codi'u clustiau pan drawodd y floedd honno dwll clust Mrs Pryderi-Pugh fel gordd ar bolyn ffensio.

'Iesu, 'sat ti'n gweld gwymab chdi ŵan! Fatha bo chdi 'di gweld grim rîpyr, myn uffar i!'

Mi fasa gweld y grim rîpyr yn ei holl ogoniant yn chwifio'i bladur o flaen ei chorn gwddw tyrci Dolig wedi bod yn fendith i llgada cataract ffrî Mrs Pryderi-Pugh yr eiliad honno. Roedd Rose Michelle Jackson wedi parcio'i phen-ôl, a oferai dros lastig ei legins, ar sedd gefn y car, a'i thraed yn gorffwyso ar grât o ganiau lager Tesco Faliw. Mi fedrach gyfri ar fysadd un llaw sawl gwaith roedd y ddwy foneddiges uchod wedi torri gair y naill wrth y llall cyn y diwrnod hwnnw, er bod y ddwy wedi treulio'u holl ddyddiau dafliad carrag oddi wrth ei gilydd. Ond toedd treulio'i chyda'r nosau (a phnawniau, yn amlach na heb) yn llymeitian peintiau o snêcbaits-a-blac o wydrau cynnas a chraciog y Crown rhwng fflichiadau meistrolgar i gyfeiriad y bwlsái, ddim yn gyp-o'-tî Mrs Pryderi-Pugh. Tasa hi'n dod i hynny, doedd stwffio sbrigs o ddrain a mieri i fasys cyt-glàs wrth niblo fel cwningan ar dameidiau o Fictoria sbynj yn ddadansoddol er mwyn gweld ai jam cartra 'ta hen beth siop oedd wedi'i daenu trwy'i chanol hi ddim yn ticlo ffansi Rose Michelle chwaith.

Ond, ers chydig fisoedd bellach, ac er eu gwahaniaethau lu, roedd gan lywydd (rhanbarthol, erbyn hyn) Merchaid y Wawr a chapten tîm darts y Crown un peth bach yn gyffredin: lond y sedd cefn, roedd y peth tebyca welsoch chi'n eich byw i forlo yn hefrian a'i botwm bol noeth yn pwyntio i'r awyr fel ceiriosan ar ben teisan binc, a'r sdrej marcs fel eising yn diferu oddi arni. A'r *deisan* honno oedd y llinyn cyswllt rhwng y ddwy.

'O, dwi'n gwbod be sy! 'Di mynd yn emôshynal w't ti, 'de, 'rôl gweld Catrina 'ma. Ma hi 'di altro, 'do? Glowing, tydi? Byw 'tha cwîn, 'de – tydi'm yn gorfod codi 'ddar 'i thin i neud dim byd yn y tŷ 'cw. Wel, tydi Joey 'ma mor siwpŷrb efo hi? Asu, ma raid bo chdi 'di drênio fo'n dda pan odd o'n hogyn bach!'

Roedd wyneb mei lêdi fel blymonj wedi colapsio, ac un ael bensal wedi dechra twitsio'n afreolus.

'Wel wir, dydw i ddim yn cofio ichi sôn bod y tylwyth-yng-nghyfra'th yn dod am owting hefyd. Anghofio ddaru chi, ia?' Gwyddai Blodwen o'r gora sut i roi'r dwist angheuol yn y gyllall drosiadol a hongiai o grombil Mrs Pryderi-Pugh, ac yn hytrach na neidio i'r sedd gefn a gosod ei stondin wrth ei hochr fel y gwnâi fel arfar ar owtings o'r math yma (hynny ydi, neidio cystal ag y gall rhywun sy 'di ca'l dwy glun newydd ac yn disgwyl am y drydedd), sodrodd Blodwen ei hun bag-an'-bagej yn y sedd flaen cyn i Mrs Pryderi-Pugh fedru hyd yn oed ddeud 'jam riwbob', a throi ei hîyring êd i'r top rhag iddi golli gair o'r sioe oedd ar gychwyn.

Llusgodd Mrs Pryderi-Pugh ei llygaid yn erbyn eu hewyllys oddi ar y traed craciog a'r ewinedd melynion ffyngïaidd a orffwysai ar y diodydd meddwol, i gyfeiriad Catrina, ei darpar ferch-yng-nghyfraith, a'r 'deisan' (yr honnai Catrina roedd Joseph wedi'i lluchio mor esgeulus i'w phopty) oedd ar fin gneud ei debiw unrhyw ddiwrnod. Ac ar ôl ail-lyncu'r mymryn o dost a marmaled cartra ddoth i fyny o'i stumog hi, trodd ei golygon i gyfeiriad ei hannwyl, uniganedig fab, yn y gobaith y byddai gynno fo gyrn ar ei ben a siwt Rwdolff amdano er mwyn cadarnhau mai breuddwyd oedd y cwbl.

No syj lyc.

Wrth i'w shôffyr am y diwrnod edrych i fyw llygaid cyhuddgar ei fam yn y drych sbio'n-ôl, a'r chwys yn llifo i lawr ei arlais, synhwyrodd Rose ei bod wedi rhoi'i thraed a'i gwinadd blewog ynddi o ddifri.

'O, paid â deud bod o 'di anghofio deud 'thach chdi bod ni'n dŵad am dro?!'

Mentrodd Mrs Pryderi-Pugh lyncu'i phoer, llenwi'i megin, agor mymryn ar ei cheg a gwthio'r geiriau allan.

'Soniodd o ddim, ond dwn 'im ai *anghofio* ddaru fo chwaith.'

'Ti'm yn meindio, nag w't, cyw? Fi soniodd wrth Joey

'ma noson blaen mod i trwodd i ffeinal darts heddiw 'ma yn Mallynchath, ond bo gin i'm ffordd o fynd yno 'chos dwi'm yn ca'l dreifio rŵan, na'dw – byth ers y miri hwnnw pan ges i stop gan y plismon bach 'na, a fynta'n gofyn i mi chwythu i'w beipan o – ti'n cofio? Ges i'n llun yn papur a bob dim, sdi. A dyma Joey'n deud bod o'n mynd â chdi a dy fêt i'r feri lle heddiw 'ma i ga'l joli . . .' (chwara teg, am unwaith, doedd Rose ddim yn bell ohoni efo'i 'joli', achos esgus am hynny oedd Cynhadledd Flynyddol Merchaid y Wawr, mewn gwirionadd) '. . . a deud 'swn i'n ca'l tag-along, chwara teg iddo fo. Dyna pam 'dan ni'n hwyr, 'li, 'chos odd raid i fi ffeindio twenti-ffôr-awyr offi i ga'l rhein. Ma nhw'n help i gâlmio'r nyrfs, yli,' medda hi wedyn, gan bwyntio at y pwffi o dan ei thraed. 'A 'chos bo Joey'n shôffro chdi a mêt chdi, wel todd 'na neb i watshad ar ôl Catrina, nagodd? A sods lô 'de, 'sa hi'n siŵr Dduw o bopian a neb adra 'fo hi. 'Lly todd gin i'm dewis, nagodd, ond dod â hi 'fo fi. Ond 'esu, mi neith drip 'gneith – a ma ffrind chdi'n edrach 'tha uffar o laff.'

Fuo jesd iddi â bod yn ddigon am Mrs Pryderi-Pugh. Teimlodd ei fyrtigo'n dychwelyd fel ton, a'r unig beth fedrai hi'i neud oedd gollwng ei hun i'r sedd drws nesa i'r gron, tyrchu am ei phils ym mhocad ochr ei bag, a llyncu dwy/dair ohonyn nhw'n sych. Ac, ar wahân i rwndi herciog y moto, roedd y lle fel mortiwari o ddistaw am rai eiliadau.

'Awê, Joey bach, reit handi cyn iddi ddod yn nos arnan ni!' meddai Rose wedyn, gan estyn am un o'r caniau o dan ei thraed a thynnu ar y ddolen yn grefftus rhag dolurio'i hewinedd cyrliog, plastig.

Ond roedd hi wedi nosi arnyn nhw ymhell cyn hynny, mewn gwirionadd. Wrth i Joseph godi'i droed oddi ar y clytsh ac i'r car igian yn ei flaen yn dow-dow o dan straen yr holl bwysau, gwelodd Mrs Pryderi-Pugh ei hysgrifenyddes yn syllu arni yn y drych uwch ei phen a'i llygaid twrch daear yn ei thrywanu yn y ddafad oedd yn trigo yng nghanol ei thalcen, cyn rhoi winc ffals ar ei chymdoges. Toedd 'na'm amheuaeth nad oedd *rhywun* am fwynhau'r trip.

Hanner awr yn ddiweddarach, roedd pawb yn dal i fod yn reit dawedog, a dim siw na miw i'w glywed heblaw am ddannadd gosod Mrs Pryderi-Pugh yn crensian fel coblyn ar lond cwd papur o bêr drops, amball bwl o wynt (cegol, diolch am hynny) o gyfeiriad Blodwen, a sŵn swigio rheolaidd o gyfeiriad Rose, oedd wedi taclo bron hannar ei lluniaeth ac wedi hen ymgolli yn nifyrrwch tudalennau *OK*.

'Da 'di'r problem pêjis 'ma 'fyd, 'de genod? Pan fydda i'n teimlo yndyr ddy weddyr a dipyn yn dipresd weithia, ma nhw'n gneud y tric bob tro. Os byth ti'n teimlo'n insiciwyr, Blods bach, ac isio conffidyns bŵst, ma nhw jesd y petha – fyddi di'n teimlo lot gwell ar ôl 'u darllan nhw, dwi'n garantîo chdi. 'Dan ni jesd â cyrradd y Mallynchath 'ma eto, dwch? 'Sa rheitiach 'swn i 'di pêsho'n hun yn well efo'r cania 'ma, basa? Joey, cyw – tynna i fewn yn fama, gwael.'

'O, ffor gwdnes sêcs!' Fedra ebychiad Mrs Pryderi-Pugh ddim bod yn fwy dramatig hyd yn oed tasa hi ar set *Pobol y Cwm*.

'Gwranda, dol – tydi pelffic fflôrs pawb ddim 'run fath, nac'di, a ma'n lastics i 'di ca'l mwy o wyrcowt na rhei pawb arall yn y blydi car 'ma ôltwgeddyr, ai'm teling iw.'

'Cha i'm gneud yn fama, 'chi, Mrs J – ma hi'n lôn brysur, a ma 'na gongl hegar yn fancw, 'lwch,' meddai Joseph mwya cwrtais.

'Gwranda, cyw – ti wir isio'r strach o stîm-clinio'r sêt 'ma?'

Fuo hynny'n ddigon o fygythiad i ddod â nhw i stop yn y fan a'r lle. Ac wedi i Rose roi naid o'r car gan groesi'i choesau cyn dynned ag y medrai a llgadu'r gwrychyn delfrydol hanner canllath i ffwrdd, trodd ei golygon i gyfeiriad troli Blodwen. 'Sgin ti'm weips efo chdi yn honna, ma siŵr, nagoes cyw?' Ond yn amlwg toedd gan honno ddim mwy o syniad be oedd weips nag oedd ganddi am hêr rimŵfal crîm, a tasa hi *yn* gwbod, ma'n ddowt fysa hi wedi'u rhannu nhw efo Rose.

'Ma gin i bacad o hancesi papur,' meddai Joseph, yn barod iawn ei gymwynas fel arfar.

'Ddim hen betha tena, gwael ydyn nhw, naci? Ne' mi fydd raid 'mi iwsio hannar dwsin ar y go.' Roedd hi'n amlwg fod Rose wedi arfar rhoi ordors yn Huws Gray am dishws hefi diwti.

'Wel, Kleenex ydyn nhw – bai wan, get wan ffri . . .'

'O, diolch 'ti, dol – ti werth y byd, w't wir.'

'. . . ond dwi'm yn siŵr os 'di hyn yn gyfreithlon, 'chi, Mrs J.'

Ond roedd Rose wedi prancio hannar ffordd at ei gorsedd erbyn i Joey orffen ei frawddeg.

'Waeth ichi heb, Joseph,' meddai llais sychlyd o'r cefn. 'Tydi cyfraith a threfn yn golygu dim i betha fel'ma. Dwi'n gwbod amdanyn nhw mond yn rhy dda. Tasan ni'n ca'l 'yn dal yn be-chi'n-galw mewn lle cyhoeddus . . . wel, mi fasa'n ddrwg arna ni. O, ddy shêm! 'Swn i byth yn gallu dangos 'y ngwynab yn y Bwc-clyb eto, heb sôn am y clasys Tai Chi.' Ac wrth syllu allan yn anobeithiol trwy ffenestr rydlyd y modur ac ystyried o ddifri calon sut y gallai'r sefyllfa hon fynd ddim gwaeth, a dwy streipan niwlog yn ffurfio gyferbyn â ffroenau llaith Mrs Pryderi-Pugh, dyma 'na Fyrc sofft top ar wib o rwla a sŵn corn yn canu'n ffyrnig i'w ganlyn o, a neb llai na phedair o dop dogs Merchaid y Wawr (gan gynnwys y Llywydd Cenedlaethol ei hun, iff iw plis) yn ista ynddo fo jesd so, ac am y gora i luchio'u dyrti lwcs i gyfeiriad y rhwystr yn eu ffordd. Agorodd Eliza ei Mills & Boon yn ei ganol, a'i osod rhyngddi a'r ffenast rhag i un o'i heilunod nabod ei hwyneb.

"Dach chi gyd sîriysli in nîd of y *chill pill*.' Dyma'r tro cynta i Catrina fentro agor ei cheg yr holl ffordd – o fod yn byw efo Rose, beryg nad oedd y cyfle i fynegi'i hun ar lafar yn codi'n aml. 'Ma gin cops criminals *loads* mwy drwg i 'restio na fforti îyr-old picld grani-tw-bî efo bladyr wîcnes. A be 'di'r jansys bo nhw'n mynd i ddod ffor'ma rŵan, eniwê – 'sna sod ôl yma 'csept am dafads a . . .'

'Moch!' Roedd Rose erbyn hyn yn calpio i'w cyfeiriad, gan afael yn ei darnau silicon rhag achosi niwed parhaol i'w llygaid. 'Joey, paid â jesd ista fanna 'tha bo chdi'n rhwym ar bog – tania'r mashîn 'ma!' Ond mwya'r brys, mwya'r rhwystr, ac wrth i Joseph druan gythru am oriadau'r cerbyd yn fodiau i gyd, aeth ei fysadd sosijys Felinheli'n glymau a disgynnodd y bwndal o allweddi rhwng ei draed. Rhoddodd Mrs Pryderi-Pugh ei Mills & Boon i lawr a throi i edrach trwy'r ffenast ôl, dim ond i godi'r nofel drachefn wrth weld y golau glas yn fflachio ychydig lathenni tu ôl iddyn nhw. Ac wrth i'r lliw ddiferu o'i bochau, fedra Blodwen ddim resistio:

'Sdim achos i chi boeni ar gownt Joseph, 'chi – dim ond teling-off bach geith o. Ond tasa gynna fo prîfiys, fel ma nhw'n deud, wel 'sa'n stori wahanol wedyn, 'te,' medda hi, gan wbod yn iawn am yr achos hwnnw efo'r dau gant o dedi bêrs doji ychydig flynyddoedd yn ôl.

'O cachu hwch,' meddai Rose wrth glywad y seiren lot rhy gyfarwydd yn atseinio yn ei chlustiau addurnedig. Ac wrth gamu allan o'i sedd awdurdodol gan roi llyfiad i'w fawd cyn troi i dudalen gynta'i lyfr nodiadau, roedd yr heddwas bach eisoes 'di sylwi ar hanner dwsin o ffaeleddau yng nghyflwr rhydlyd y bocs ar bedair olwyn.

'Chi bia'r cerbyd yma, syr?'

Wrth glywed y gair 'syr' am y tro cyntaf ers achos yr eirth bach unllygeidiog, aeth Joseph yn chwys oer drosto. 'Ym . . . naci. Wel, ia, caind-of . . . ond . . .'

'Ydach chi'n ymwybodol ei bod hi'n anghyfreithlon i chi barcio ar ffordd brysur fel hon?'

'Ond to'dd gin i'm dewis,' meddai Joseph, gan ddechrau troi'i ben eilliedig i gyfeiriad y sedd gefn. 'Honna odd yn swnian isio . . .'

'. . . chwdu,' torrodd Rose ar ei draws ar yr eiliad dyngedfennol. 'Ia, isio chwdu – yr hogan 'ma, 'li. Deuda helô wrth y jentylman, Catrina. Ma hi'n diw eni dê, yli – a rhyngtha chdi a fi, ma hi 'di ca'l y morning sicnes mwya diawledig – twenti-ffôr-sefn, sefn-dês-y-wîc am naw mis cyfa, cofia. Mi odd raid i ni stopio ddêr an' dden – er lles y babi, 'de? Sgin ti blant, cyw? Siŵr 'sa chdi'n gneud tad lyfli. Gwranda, be am i chdi a fi ga'l *chat* bach yn breifat, ia?' Ac wrth wthio'i throed yn erbyn gwaelod drws ôl y car i'w agor a chamu ohono, rhoddodd Rose blwc i waelod ei thop er mwyn arddangos hyd yn oed mwy o'i hefeilliaid. 'Gadwch hyn i mi, latsh.'

A wir i chi, o fewn munud a hanner, roedd Plismon Puw yn ôl yn ei sêt a'r car panda'n eu pasio'n rhadlon braf efo'r PC bach yn wêfio'n ddel arnyn nhw i gyd, a'r wên ar ei wyneb bach sbotlyd yn dyst i swyn anghyffredin Rose wrth drin yr oposit secs.

'O mai God, Mam, ti'n lejynd!'

'Ew, ia – da iawn chi, Mrs J. Ma gynnach chi ffordd o drin pobl. Dach chi'n un o fil, yndach wir,' meddai Joseph â rhyddhad yn ei lais, gan sychu'i dalcan efo llecyn glân o'i lawas.

'Diolch am hynny,' meddai Blodwen dan ei gwynt. Mi fasa hi wedi bod ar ben ei digon tasa'r heddwas wedi nodi manylion Joseph yn ei lyfr bach du, a pheri i Mrs Pryderi-Pugh gael un o'i brêcdowns yn y fan a'r lle.

'Asu, 'nes i'm byd, sdi, dol. Jesd iwsio'n irusustabl tshârm, 'de . . .' (gan droi ei golygon i lawr tuag at ei rhych gogoneddus) '. . . a gofyn iddo fo 'sa fo'n lecio dangos i mi ryw dro sut ma'i hancytfs o'n gweithio. Os ti'n ca'l traffarth efo'r Glas unrhyw bryd, ma'r lein yna'n gweithio bob tro, yli.' Ac er bod Mrs Pryderi-Pugh yn gwaredu wrth feddwl bod darpar fam-yng-nghyfraith ei mab newydd geisio cymryd mantais ar ddyn mewn iwnifform, roedd hi'n falch mai Rose, nid y hi, fuo raid defnyddio'i tshârm.

'Reit, ma gin i tshîs-an'-yniyn, smôci becyn, redi solted, Wotsits, tshîs-an'-yniyn arall a prôn coctel. Gyma i'r prôn-coctel, 'chos dwi'n lecio sî-ffwd. Ma gin i Cyp-a-Sŵp hefyd (ond mond dŵr oer sgin i i fynd efo fo), hannar tshicin an' ham slais – ddalish i dy dad yn sglaffio'r hannar arall nithiwr. Lle bynnag buo fo a be bynnag fuo fo'n 'i neud (neu *pwy* bynnag, ai shwd sê), mi odd o ar 'i gythlwng pan ddoth o adra. "Ti isio byta'r rest o honna trw' strô?" medda finna wrtho fo. "Cinio ni fory o'dd hwnna i fod." Buan roth o hi 'nôl yn ffrij, dwi'n deud 'thach chi. O ia, gin i Blw Ribans hefyd.'

Agorodd Mrs Pryderi-Pugh ei M&S cŵl-bocs a thynnu bag polythin allan ohono fo. Tu mewn i hwnnw roedd 'na barsal taclus, sgwâr, wedi'i lapio mewn tin ffoil. Tu mewn i hwnnw roedd 'na barsal arall 'di lapio efo papur menyn, a thu mewn i hwnnw wedyn roedd 'na ddwy dafall ddelicet iawn yr olwg a llyfiad o samon John West, a dwy sleisan anorecsig o giwcymbyr rhyngddyn nhw. Ond wedi iddi dreulio munud a hannar o'i bywyd yn dadwisgo'i phacd lynsh fesul haenen, doedd stumog Mrs Pryderi-Pugh ddim 'di setlo cweit digon i blannu'i dannadd ynddo fo. Brechdanau brôn oedd gan Blodwen, efo mwstard 'di daenu'n dew arnyn nhw, a theisan gyrainj i bwdin. A chwara teg iddi, roedd Catrina 'di morol amdani'i hun hefyd.

'Don't iw dêr, iyng ledi. Dora hwnna lawr ddis instant!' Roedd bys yr uwd Rose, a'i gewin lepard-print digon mawr i alw 'chi' arno fo, yn pwyntio'n gyhuddgar i gyfeiriad ei hannwyl epil.

'O, gif mi y brêc, Mam – neith *un* Red Bull sod-ôl o'm byd i fi.'

'Un, na neith, ond be am y pump arall ti 'di ga'l yn barod, plys yr un gest ti efo dy pop-tart i frecwast? Dwi'm isio'n *grandchild* i'n dod allan o fanna efo *wings* ar 'i gefn o fatha ryw Angel of the North – ti'n 'nallt i?' Fasach chi'n taeru'i bod hi'n rynyr-yp yn Myddyr of ddy Îyr ffordd odd hi'n siarad.

''Toes gynnach chi'm lle i boeni ar gownt hynny, myn diawl,' meddai Blodwen rhwng pyliau afreolus o grachboeri ar dameidiau o'r jeli oedd yn gymysg â'r brôn.

''Nest ti acshiyli ddeud wbath rŵan, 'ta jesd mwstásh chdi odd yn newid gêr?' Doedd Catrina ddim wedi etifeddu anwyldeb ei mam, er mor ffraeth oedd yr anwyldeb hwnnw ar brydiau.

'Ti'n gwbod bod y stwff 'na'n mynd trwyddat ti 'tha Mr Muscle drênclinyr,' meddai Rose, yn benderfynol o gael y maen i'r wal.

'Dwi'm yn synnu, wir – ma 'na ogla 'tha biswal arno fo

cyn ichi roi o'n agos i'ch ceg.' Roedd blewiach Blodwen yn amlwg 'di ffeindio top gêr erbyn hyn.

'Hwda, dol – swopia 'fo fi,' meddai Rose, gan hwrjio hen fflasg frown dartan oedd 'di gweld amball bicnic gwell yn ei dydd i gyfeiriad y foliog.

'Te 'ta coffi sgynnach chi yn yr hen beth 'na, achos os geith y lafnas 'ma sniff arall o gaffîn, mi fydd hi'n gês am bylpyteshons o rŵan tan Sulgwyn.' Fedrai Mrs Pryderi-Pugh ddim gwadu'r ffaith nad oedd ganddi ronyn o ots am ei ŵyr bach, wedi'r cwbl.

'O bihêf, gyrl! Te 'ta coffi, wir. Wot dŵ iw têc mi ffôr? Dwi'n edrach 'tha hogan Earl Grey i chdi? Larger shandi sy'n hwnna, 'fo un ne ddau o eis-ciwbs i'w gadw fo'n oer, a joch o Ribena yn 'i lygad o er mwyn 'ddi ga'l 'i fitamins, 'de. Te 'ta coffi, wir! A cyn ichdi gychwyn, mae o'n lô-ffat larger 'yfyd – 'chos dwi'n gwbod bo chdi'n trio gwatshad dy ffigyr. Chwara teg – ma hi'n rhy ifanc i let hyrselff go fatha natho ni'n dwy pan oddan ni yp-ddy-dyff, tydi?'

'Peidiwch â meiddio twtshad yn y stwff meddwol 'na, Catrina. Pa obaith sydd i'r cradur, a'i fam o'n ffôrs-ffidio pob math o sybstansys trwy'i ymbilical cord o. Mi ddeith o i'r byd 'ma'n igian ac ogla bragdy ar 'i wynt o.'

'Stwff meddwol be, d'wad? Shandi ydi o, siŵr Dduw! Ma 'na fwy o alcohol yn y diwti ffri Chanel 'na sgin ti'n dy hanbag,' meddai Rose, heb drio cuddio'r ffaith ei bod wedi 'studio cynnwys bag llaw Mrs Pryderi-Pugh yn feistrolgar o fewn hanner munud cyntaf y daith. 'Piso dryw yn môr, dol. Eniwê, nath o'm drwg i hon pan o'n i'n ei chario hi, naddo? O'n i'n cal hannar bach bob nos cyn mynd i ngwely i helpu at y dŵr poeth, a Sex on the Beach ar wîc-ends os odd hi'n sbeshal ocêshyn. Odd hi'n dipio'i dymi ym mheint 'i thad pan odd hi jesd yn ffiw mynths – a dwi 'di ca'l dim traffarth efo hi rioed. Laic myddyr, laic dotyr – 'de cyw? Jesd gobeithia na teith Joey 'ma'n debyg i dy dad, neu chei di'm byd am twenti od îyrs mond hasl.'

'O, dwi'n siŵr na tydi petha mor ddrwg â hynna, Mrs J.,' meddai Joseph. 'Mae o'n ffeind iawn 'fo fi, chwara teg. Pan mae o'n prynu bloda i chi – adag yna sy isio i chi boeni, 'chi. 'Chos dyna be odd Dad yn neud pan gath o 'i ddal 'fo'r ddynas lolipop erstalwm – dach chi'n cofio, Mam?'

'Am be ti'n rwdlian, hogyn? Dynas lolipop o bob dim! Wel, ma gin ti ddychymyg, oes wir. Odd o'n un da am sgwennu straeon pan odd o'n 'rysgol, 'chi,' meddai Mrs Pryderi-Pugh, gan chwarae efo'i hancas bocad yn nerfus.

'Ges i fwnshad o diwlips gynno fo echdoe, crusanthynyms wsos dwytha a lilis plastig wsos cyn hynny,' meddai Rose. 'Na, dwi'm yn ffŵl, sdi – dwi'n nabod 'i steil o'n ddigon da bellach. Ddoth o adra noson blaen ac yn syth i shawyr. Dwi rioed 'di trystio dynion sy'n molchi – 'nenwedig cyn mynd i'w gwlâu. Dwi 'di siarsio'r hogan 'ma ers pan odd hi'n ddim o beth i beidio meddwl dod adra efo hogyn a golwg lân arno fo. Dyna pam o'n i'n aprŵfio o Joey 'ma – mae o'n gredit i ti, Eliza, chwara teg, ydi wir. Well ti un budur, medda fi wrthi – o leia 'fo peth felly, ti'n gwbod be ti'n ga'l yn lle cynta, sbario gorod disgwl blynyddodd i weld sud beth ydi o go iawn. Tydi dynion byth yn molchi i fod yn haijînic, sdi cyw – têc mai wyrd ffôr it. Molchi i ga'l gwarad o'r efidens ma nhw. A dio'm yn dŵad adra tan berfeddion. Ma'n deud ma gweithio'n hwyr mae o, ond pwy sy isio dyn lladd llygod mawr yn canu cloch drws am chwartar 'di un ar ddeg y nos? Eniwê, un diwrnod . . .'

'Pa mor hir fyddan ni eto, Joseph? Ma'r lôn yma'n ddiarth i mi – short-cyt ia?' meddai Mrs Pryderi-Pugh gan dorri ar draws y bytheirio.

'Twll din byd o le os fuo 'na un rioed, 'de?' Os nad oedd 'na dafarn, siop tships ac o leia dair archfarchnad o fewn golwg, fasa waeth gen Rose fod yng nghanol y Sahara ddim.

'Tydi'r hen hogyn llywath 'ma 'di bod yn dal y map ben ucha'n isa a fynta'n dreifio ers tri chwartar awr,' meddai Blodwen yn hunanfeddiannol.

'O, ffor craing owt lowd, Joey bach!'

'Gadwch chi lonydd i Joseph – 'ych hen straeon coman chi sy wedi'i ddrysu fo'n lân, 'te? Pa obaith odd gin yr hogyn o fedru canolbwyntio efo'r ffasiwn glwcian parhaus yn 'i glustia fo? Dudwch wrthyn nhw, Joseph – tydan ni'm ar goll, na'dan?' Ond roedd distawrwydd Joseph yn deud cyfrolau.

'Fedran ni'm bod ar goll, siŵr,' meddai Mrs Pryderi-Pugh wedyn. 'Ma'r Merchaid yn dibynnu arna i i fod yno heddiw. Ma *raid* i mi gyrradd y cyfarfod 'na! Laffing-stoc – dyna bc fydda i! Joseph – dudwch na tydan ni'm ar goll, bendith Tad ichi!'

'Ei ei ei, *chill out,* dol. Tydi hi'm yn ddiwadd byd, na'di?' meddai Rose. 'Catrina swîti, ffonia dy dad – mi geith ddŵad i'n nôl ni, waeth iddo fo neud wbath iwsffyl ddim. A gobeithio bod 'i ffôn gynno fo'n handi – tydi o'n 'i golli fo'n rhwla rownd 'ril? Ac os ti'n clwad llais dynas yn y cefndir, gofynna iddi flotio dipyn ar 'i lipstic cyn mynd i'r afa'l â fo – dwi'n mynd trw' boteli o Vanish fatha bo nhw'n mynd allan o ffasiwn.'

'Na! Ar boen eich bywyd, peidiwch â'i ffonio fo! Wel, i be'r awn ni i'w lusgo fo gyn bellad? Fydd Joseph ddim chwinciad â'n cael ni ar y trywydd iawn. Odd o'n un o'r goreuon yn Oriantîring yn y Sgowts erstalwm.' Roedd Mrs Pryderi-Pugh wedi dechrau heipyrfentiletio erbyn hyn ac yn tyrchu yn ei bag llaw am gwd papur brown i gael chwthu iddo fo. Ond cyn i neb gael cyfle i ddeialu unrhyw rif, dyma waedd annaearol o enau'r forwynig yn y sedd gefn a fyddai'n ddigon i ddymchwel waliau Jericho.

'O mai God! Joey?!' Trodd pawb eu pennau i weld coesau noethion Catrina fel dwy graig o boptu rhaeadr, a llawr y car yn nofio. 'Ma wôtyrs fi 'di torri! Ddy beibi's cyming!'

'Ddim rŵan 'di'r amsar i chwara sili bygyrs, Catrina. Ma pawb yn ca'l acsidents weithia, 'nenwedig yn dy gondishyn di. Sy'm isio i ti fod cwilydd deud,' meddai Rose, yn amlwg ddim yn y mŵd am unrhyw lol gan ei merch. 'Ma hi 'di crai wylff dair gwaith mewn un diwrnod wsos dwytha, 'lwch, mond achos bod Joey 'di dod â Slush Puppy glas iddi yn lle'r un coch. Ma gynni hi atenshiyn ishws 'di bod ers pan odd hi'n ddim o beth, 'chi. 'I thad hi 'run fath yn union . . .'

Ond wrth deimlo blaenau bysedd ei merch yn plannu fel picwyrch trwy'i legins i floneg ei chluniau, gwyddai Rose Michelle nad gneud ati roedd Catrina'r tro hwn. 'O fy Nuw! Joey – ffonia am ambiwlans!'

'Iawn, daliwch 'ych gafal am funud, dwi'n meddwl mod i'n gwbod lle'r es i'n rong ar y ffordd. Yn ôl y map 'ma, os medra i bac-tracio . . .'

'Dipyn yn hwyr i hynny bellach, ngwas i.' (Cyfeirio at y mistimanars a fu naw mis ynghynt roedd Blodwen, wrth gwrs.)

'Joseph! Ydach chi wedi llnau'ch clustia bora 'ma?! Glywsoch chi be ddudodd Rose – ffoniwch am ambiwlans y *funud* 'ma.' Ac wrth glywed llais ei fam yn graddol godi (a'i hatgoffai o chwipiau tin ei blentyndod), rhoddodd y cradur sbonc na welwyd mo'i thebyg allan trwy ddrws y gyrrwr, gan ddeialu 999 rywle rhwng daear ac awyr.

Fasa rhywun yn meddwl bod 'na ddau ful yn caru yng

nghefn y car yn ôl sŵn y beth bach. Ac yn ei hymgais i anwybyddu'r rhegfeydd cyfoes, a oedd yn ddigon i ferwino clustiau bach delicet Mrs Pryderi-Pugh, pwysodd Blodwen bob botwm a welai o'i blaen ar y dash, yn y gobaith y byddai llais Geraint Lloyd yn cynnig rhywfaint o achubiaeth. Erbyn hynny, roedd Rose wedi'i gwasgu yn erbyn drws ôl y car, a phen ei merch yn ei chôl. Roedd Catrina druan wedi'i gosod yn ei hyd ar sedd gefn staeniog y Metro, yn gweiddi mwrdwr a sodlau ei fflip-fflops yn gorffwys ar sholdyr pads ei darpar fam-yng-nghyfraith, a oedd wedi cael y short strô o fod yn gyfrifol am y pen hwnnw.

'Plis, Mam – jesd pwl it owt of mi. *Plis*!'

'Ai wd iff ai cwd, 'nghyw dryw i, ond dio'm 'run fath â sblintar, sdi.'

'Dwi'n mynd i ladd chdi, Joey. Ddus is ôl iôr ffolt. 'Sach chdi'm 'di prynu *kebab* i fi noson honno, 'sa ti byth 'di ca'l dod adra 'fo fi.' Ond toedd Joey druan ddim digon o gwmpas ei bethau i glywed bygythiadau ei betyr hâff, ac yntau (ar ôl rhoi cyfarwyddyd i yrrwr yr ambiwlans i droi i'r chwith a chario mlaen hyd nes byddai ar goll) wedi cael cipolwg ar gorun yr erchyllbeth roedd wedi'i genhedlu cyn rwydded â thorri gwynt un nos Sadwrn fisoedd ynghynt.

Chwarae teg, roedd Blodwen hithau wedi ac yn gneud ei rhan i helpu'n ddigon del, ac yn hofran uwchben y ffaddyr-tw-bî (oedd erbyn hyn ar wastad ei gefn ar y lôn) a'i choesau dal mochyn o boptu'i ben o, yn chwifio'i chilt sgoj-plod 'nôl a blaen er mwyn sicrhau cyflenwad o awyr 'iach' i'w helpu i ddod ato'i hun. Roedd pob diferyn o waed ym mhen y llanc ifanc wedi diferu ohono fatha cadach llestri wedi'i wasgu. Ac roedd gruddiau Catrina druan fel dwy falŵn lliw coch bocs postio ac ar fin mynd 'pop', a'r gwythiennau mân yn ei llygaid 'di hen roi dan straen y gwthio.

'Dewch rŵan, Catrina – dim o'ch lol chi,' meddai Mrs Pryderi-Pugh wedyn. "Sa chi'n gwisgo panti gyrdl fathag oddan ni erstalwm, 'sa chi'm yn y pysishyn yma rŵan.'

'Peidiwch â sôn am bysishyns efo fi!' meddai Catrina, ddim callach be ar wynab daear oedd y ffasiwn beth â phanti gyrdl.

'Ac mi gewch chi dalu am drei clînio'n owtffit i, hefyd.' Roedd y samon pinc yn sprencs am y gwelach chi.

'Tyd 'wan, swîti, ti 'di gwatshad oria o *Casualty* – ddylsa bo chdi'n gwbod be i neud bellach. Brîîîdd . . .' meddai Rose, gan ddechrau cydchwythu'n uchel a rheolaidd efo'i merch fel rhyw hen gi defaid ar ôl corlannu'r ddafad ola. 'Nefi, dwi'n cofio hon yn dŵad i'r byd 'ma 'tha ddoe – ma hi 'di bod yn un i neud entrans rioed. O'n i'n gweithio'n Lo Cost ar y pryd. Chyrhaeddish inna mo'r hospitol chwaith. Fanno o'n i ar y confeiyr belt, on displê i'r byd a'i nain ga'l spec. Ond pan dach chi'n teimlo 'tha bo chi'n ca'l 'ych rhwygo'n 'ych hannar, a bod rhywun 'di lluchio hand grynêd ynach chi, 'di uffar o ots gin ti, na'di cyw? Odd Iola yn til drws nesa i fi 'di mynd am ffag brêc, ac erbyn iddi ddod 'nôl mi odd y sioe drosodd. Odd hi'n gyted! Ond pan es i 'nôl i ngwaith wsnosa wedyn, fedrwn i'm sbio ar hannar y cystymyrs – yn gwbod 'u bod nhw 'di ngweld i yn 'y nglori. Be amdanach chdi, cyw? Sisêrian, ia? Ti'n edrach y teip i ga'l sisêrian. Tŵ posh tw pwsh, a ballu.'

'Rose, dwi'n 'ych rhybuddio chi – tydw i ddim yn wraig dreisgar fel arfar, ond mi fedra i neud eithriad gosa gaewch chi'ch ceg! Rŵan, Catrina, ar ôl tri – *gwthiwch*!'

Ac ar ôl cwta awran (gyda diolch i'r holl Red Bull) o wthio a thuchan a bytheirio, i gyfeiliant Hogia'r Wyddfa a 'Safwn yn y Bwlch' hedfanodd yr un bach allan i'r byd yn lwmpyn gwlyb, cynnes i ddwylo modrwyog ei nain. Doedd gan Mrs Pryderi-Pugh ddim llaw rydd i sychu'r deigryn a hongiai wrth ddibyn ei hamrannau. Mi fuodd hi'n hannar awr arall cyn i'r dynion ambiwlans ddod i'r casgliad (yn ôl cyfarwyddyd Joseph) eu bod nhw ar goll, a chawsant yr un fach wedi'i rhwymo mewn siaced denim a'i dodi yn hafflau ei mam.

Ac felly y digwyddodd pethau. Chyrhaeddodd 'run ohonyn nhw ben eu taith yn y diwadd – ar wahân i Eliza Rose Michelle, wrth gwrs. Roeddan nhw wedi hen fwyta'r Hobnoban ola yng nghynhadledd Merchaid y Wawr, a'r ddart ola wedi'i lluchio yn rownd derfynol y Lady's Cup.

Ond toedd dim ots gin 'run ohonyn nhw erbyn hynny. A'r unig beth oedd ar ôl i'w wneud oedd rhoi ffwl-lòc i'r llyw a throi trwyn y siarabang yn ôl am adra ffordd gynta.

'Reit, hôm Jêms reit handi, ia,' meddai Rose, 'neu mi fydd hi'n ddominô arna fi weld *Corrie* heno 'ma. Peidiwch â phoeni, genod, efo fi tu ôl i'r stûring, fyddwch chi adra mewn cach . . .'

'Na fyddwn, wir – efo faint dach chi 'di lowcio, ma'n ddowt gin i os cyrhaeddan ni o gwbl! Dowch â'r goriada i mi.' Roedd Mrs Pryderi-Pugh wedi cael digon o fis-haps am un diwrnod.

'Tydyn nhw'm gin i, siŵr dol.'

'Wel, gin pwy ma nhw, 'ta?' holodd Mrs Pryderi-Pugh, cyn troi ei golygon i gyfeiriad y thyrd parti oedd yn eistedd yn fodlon efo'i throli wrth ei thraed wedi diwrnod llawer gwell na'r disgwyl. 'Blodwen! Ddim rŵan 'di'r taim na'r plês i'ch antics chi.'

'Dach chi'n wirioneddol gredu y baswn i'n dewis treulio hyd yn oed mwy o'r oria prin sgin i ar ôl ar yr hen fyd 'ma yng nghwmni dwy o betha fatha chi? Gan y prawd ffaddyr oeddan nhw tro dwytha gwelish i nhw. Do's bosib bod gin fab annwyl ei fam gyn lleiad rhwng ei ddwy glust i fynd â nhw efo fo yn 'rambiwlans?'

'O, ffôr . . . Sorri, 'de, Eliza bach – dwi'm yn deud, mae o'r peth anwyla fyw gin *ti*, ond 'esu Grist, mae o'n thic as shit, ydi wir. Dwi 'di gweld amball i llgodan fawr farw yng nghefn fan y dyn 'cw sy fwy o gwmpas 'i phetha na'r hogyn 'na,' meddai Rose, gan ffrwyno dim ar ei thafod. 'A sôn am y sglyfath tw-teiming hwnnw, 'sa well i mi'i ffonio fo ne' mi fydd yn dop caets os clywith o'r newyddion da o lawenydd mawr yn *second hand*,' meddai hi wedyn, gan ymbalfalu am ei ffôn lôn yng nghanol y nialwch yng ngwaelodion ei bag llaw.

'Peidiwch â'i styrbio fo, Rose, mae o . . . mae o'n siŵr o fod yn brysur wrth ei waith,' meddai Mrs Pryderi-Pugh, gan fabwysiadu rhyw fymryn o atal deud wrth fod yn daer yn erbyn awgrym ei chyd-nain.

'Mi fydd o'n brysur yn gneud *rwbath*, elli di fentro, ond 'swn i'm yn 'i alw fo'n *waith*, chwaith.' Roedd Rose yn rhy gyfarwydd ag arferion cwna ei phriod.

'Wir rŵan, peidiwch â mynd i draffath – ma'n siŵr 'ych bod chi wedi ymlâdd ar ôl holl gynnwrf y dwrnod. Cymrwch seibiant bach – dach chi'n 'i haeddu fo. Ffonia i am dacsi rŵan.'

'Duwcs, ma'n iawn, cyw – ofynna i iddo fo ddod â'r goriad sbâr i ni tra dwi wrthi, 'li – neu mi fyddwn ni yma tan Sul Pys ar y rêt yma.' Ac wrth i Rose estyn y ffôn at ei chlust, mi ddoth 'na dring-drings o gyfeiriad bag llaw Mrs Pryderi-Pugh i alaw hudolus 'Secs Bom'.

'Arclwy! Pwy 'sa'n meddwl? Gin ti union 'run ring-tôn â'r dyn 'cw, cofia! 'Na chdi ryfadd, 'de?'

Ac fe glywyd tinc y geiniog yn taro'r llawr.

'Shitin-el!'

Y Prawf

Eleri Llewelyn Morris

Nos Wener, 8 Ebrill

Neithiwr, mi freuddwydiais i fod Luned Tabor a minnau wedi penderfynu'n lladd ein hunain. Pam roedden ni am wneud y fath beth, doedd y breuddwyd ddim yn egluro – ond roedd o *yn* datgelu sut. Rywsut neu'i gilydd, roedden ni wedi dod i wybod bod bom am gael ei gosod ar awyren oedd yn hedfan i India, ac roedd y ddwy ohonon ni wedi prynu tocynnau i deithio arni – rhai dosbarth cyntaf. Roedden ni am farw mewn steil!

Pan ddeffrais i ben bore heddiw, roedd y breuddwyd lond fy meddwl – ac wrth i mi sylweddoli pa ddiwrnod oedd hi, mi syrthiodd cawod dawel o ofn drosta i i gyd. Heddiw oedd y diwrnod! Y diwrnod roedd Luned a minnau'n hedfan o Fanceinion i Delhi ar ein gwyliau, ar ôl misoedd o gynllunio ac, yn achos Luned, o edrych ymlaen. Er i mi ddweud mod innau'n edrych ymlaen bob tro y byddai rhywun yn gofyn i mi – oes 'na rywun byth yn cyfaddef nad ydyn nhw ddim yn edrych ymlaen at eu gwyliau? – dwi wedi cael rhyw hen deimlad ynglŷn â'r gwyliau yma o'r dechrau. Gobeithio nad oedd y breuddwyd yna'n *omen* o ryw fath!

Beth bynnag, 'dan ni wedi cyrraedd yn saff i'n gwesty yn Delhi erbyn hyn – a phan soniais i wrth Luned am fy mreuddwyd, a ninnau i fyny'n uchel yn yr awyr, chwerthin wnaeth hi a deud, 'Trystio chdi i gael breuddwyd fel'na' –

mae hi'n gwybod pa mor boenus ydw i am bob dim – ac wedyn, ar ôl eiliad o saib, mi drodd ata i a deud os oedd raid i'r awyren ffrwydro, roedd hi'n falch mai efo fi roedd hi, ac na fedrai feddwl am neb y basa'n well ganddi fod yn ei chwmni na fi. Do'n i ddim yn siŵr beth i'w ddeud yn ôl ond ro'n i'n teimlo'i fod o'n dipyn o gompliment, ac mi wnaeth ei geiriau imi deimlo'n gynnes tu mewn.

Roedd camu allan o faes awyr Indira Gandhi, a gweld ac arogli India am y tro cyntaf, yn dipyn o brofiad! O'r fynedfa hyd at lle roedd y bysys, roedd rhes hir o bobol – neu ella y basa'n fwy cywir dweud tameidiau o bobol, achos doedd yr un i'w weld â chorff hollol gyfan – yn griddfan ac yn dal eu dwylo allan (os oedd ganddyn nhw rai) am bres. Doedd arna i ddim llai na'u hofn, ac roedd hyd yn oed Luned i'w gweld wedi'i hysgwyd. Mi afaelon ni'n dynn yn ein gilydd wrth gerdded heibio iddyn nhw'n gyflym, ac ro'n i'n falch o gael cyrraedd y bỳs a bod ymysg pobol oedd yn debycach i mi.

Mae deunaw ohonon ni i gyd, yn cael ein tywys o gwmpas India gan Indiad o'r enw Azhar. Ni'n dwy, dau deulu, nifer o gyplau – ac un ferch tua'r un oed â ni, ar ei phen ei hun, efo gwallt oren wedi'i dorri mewn steil geometrig a sbectol ffasiynol efo ffrâm drom, ddu. Dwi'n meddwl ei bod hi'n ddewr i ddod i India heb gwmni! Diolch byth bod Luned yma efo fi. A deud y gwir, tasa'r awyren 'na wedi ffrwydro, fedrwn innau ddim meddwl am neb y basa'n well gen i fod yn ei chwmni na hi.

Nos Sadwrn, 9 Ebrill

Wel, mae Delhi yn sicr yn wahanol i bob dinas arall dwi wedi bod ynddi. Mae hi'n un carnifal cyfoethog o liwiau a synau, arogleuon a blasau. A rhyfedd oedd gweld yr holl wartheg – gwartheg sanctaidd India – yn ei lordio hi

ynghanol y traffic ym mhob man! Mi gawson ni'n tywys
o gwmpas y prif atyniadau ar y bỳs ond, a bod yn hollol
onest, roedd hi'n anodd cymryd popeth i mewn achos ro'n
i wedi blino cymaint ar ôl y daith hir, a heb gael hanner
digon o gwsg neithiwr. Ac nid dyna'r unig beth oedd yn
fy rhwystro rhag gwerthfawrogi Delhi.

Er mor flinedig oeddwn i'n cyrraedd y gwesty yn oriau
mân y bore, pan es i i ngwely fedrwn i yn fy myw gysgu.
Roedd patrwm fy nghwsg wedi'i chwalu, a phob math o
bethau yn chwyrlïo trwy mhen. Ac wedyn, dyma Luned
yn dechrau chwyrnu!

'Luned!' medda fi.

'Ch*chch*ch!' oedd yr ateb.

'Luned!' medda fi'n uwch.

'Y? Be sy?'

'Ti'n chwrnu!'

'Pwy, fi? Ond dwi'm hyd 'n oed yn *cysgu*!' – ac roedd ei
llais hi'n flin.

Bu'n dawel am funud, os hynny, cyn dechrau arni
wedyn.

'Luned . . . Luned . . . *Luned*!'

'O, be sy rŵan 'to?'

'Ti'n chwrnu – eto!'

'O Alwen, rho'r gora iddi hi, nei di? Dwi 'di *deud* 'that
ti: dwi'm hyd yn oed yn cysgu, heb sôn am chwrnu. Cer i
gysgu dy hun a gad i mi fod!'

Cyn pen dim roedd hi'n chwyrnu eto. Y tro yma mi
benderfynais grafu ngwddw'n uchel yn lle gweiddi arni,
ac am sbel mi weithiodd hynny: fel roedd hi'n dechrau
chwyrnu ro'n i'n crafu fy ngwddw, ac wedyn roedd y
chwyrniad yn gwywo cyn iddo gyrraedd ei lawn dwf. Ond
yn sydyn, dyma hi'n gweiddi:

'Alwen, nei di'i stopio hi? Fedra i'm cysgu efo chdi'n

gneud sŵn fel'na bob munud, a dwi 'di blino. Cer i nôl diod o ddŵr os 'di d'wddw di'n sych.'

Feiddiais i ddim crafu ngwddw na gweiddi ar ôl hynny . . . a dyna lle bûm i'n gorwedd yn fy ngwely yn ddiflas o ddeffro, yn gwrando arni hi ac yn myllio ynaf fy hun. Dwn i ddim pryd gwnes i gysgu yn y diwedd, ond roedd o'n teimlo fel tasa dim mwy na phum munud wedi mynd heibio pan ddeffrais i'r bore 'ma – i sŵn arall nad oeddwn yn ei groesawu fwy na'r chwyrnu yn y nos. Sŵn Luned yn cael cawod. A finnau mor hir yn cael fy hun yn barod yn y bore ac wedi gobeithio medru bachu'r stafell ymolchi o'i blaen.

Edrychais ar fy wats – a fferru! Roedden ni i fod i gyfarfod y grŵp yn y cyntedd ymhen chwarter awr!

'*Luned*! Ma hi'n *chwartar i ddeg*! Ga i fynd i folchi?'

'Dau funud!'

Ond mi fuodd hi chwe munud a hanner arall – ro'n i'n ei hamseru hi – er i mi alw arni fwy nag unwaith, ac fel roedd hi'n dod allan mi saethais i mewn heibio iddi fel bwled a tharo yn erbyn ei braich.

'Argol, Alwen, *watsia*! Be *s'anat* ti?' gofynnodd yn flin.

Atebais i ddim. Ymolchi. Gwisgo. Llnau fy nannedd. Rhoi lensys yn fy llygaid. Rhoi colur ar fy wyneb. Sythu fy ngwallt. Sut o'n i am wneud hyn i gyd yn yr wyth munud a hanner oedd ar ôl? Fel roeddwn i'n neidio o'r gawod, heb deimlo mod i fawr glanach nag o'n i'n neidio i mewn iddi, daeth llais Luned drwy'r drws:

'Alwen, gwranda, dwi am fynd i lawr rhag ofn iddyn nhw fynd hebddan ni. Mi dduda i bo chdi ar y ffordd, ocê?' Ac unwaith roedd hi wedi mynd, a mod i'n gwybod y byddai'r lleill yn aros amdanon ni, mi ymlaciais i fymryn a meddwl ella y medrwn i fentro llnau fy nannedd . . . a rhoi mymryn o golur ar fy wyneb . . . a sythu fy ngwallt.

Newydd orffen sythu'r ochor chwith ro'n i pan ganodd y ffôn.

'Alwen! Lle *wt* ti? Ma pawb yn aros amdanat ti.'

'Iawn, dwi'n dŵad 'wan.'

'Wel, brysia! Oeddan ni i fod i gychwyn chwartar awr yn ôl. Ma pawb yn dechra mynd yn flin, ac ma Azhar yn deud os na fyddi di yma o fewn y ddau funud nesa, y bydd raid i ni fynd hebddat ti. Brysia! Ti'n dal pawb yn ôl!'

'Pwy, fi? Wel, dwi'm 'di cael llawar o amsar i neud bob dim, naddo? Oedd raid i mi aros i ti orffan molchi . . .'

'Isio i ti godi'n gynt oedd 'ta, 'te?'

'Dwi 'di blino, Luned! 'Nes i'm cysgu tan rywbryd bora 'ma. Oeddat ti'n chwrnu!'

'O, arna *i* ma'r bai bo chdi'n hwyr felly, ia?' – a chlywais ei llais yn oeri. 'Yli, os na fedri di fod i lawr yma o fewn y ddau funud nesa, anghofia fo! Fyddwn ni 'di mynd!'

Ac ar y nodyn surbwch yna, diffoddodd ei ffôn.

Un ochor o ngwallt roeddwn i wedi'i sythu ond mi es fel ro'n i – un ochor yn syth ac yn sgleiniog, a'r llall yn drwchus ac yn grychiog.

'Come on, where have you been?' cyfarthodd Azhar, wrth i mi sglefrio o'r lifft i'w gyfarfod. 'Everybody's waiting for you!' Agorais fy ngheg i'w ateb – a'i chau hi wedyn. Fuo meddwl am ateb ffraeth a sydyn erioed yn un o'm doniau i. Ac ro'n i'n teimlo mor fychan wrth iddo fo weiddi arna i o flaen yr holl bobol, rhai ohonyn nhw'n edrych braidd yn anghyfforddus a rhai ohonyn nhw'n edrych yn gas. Wedyn dyma fo'n deud bod gin i steil gwallt diddorol, a gofyn ai dyna oedd y ffasiwn ddiweddaraf yn y Gorllewin? O ha ha! Doniol iawn! Mi wnaeth bron bawb wenu neu chwerthin, ac mi sylwais yn arbennig ar y wên sbeitlyd ar wyneb y ferch efo'r gwallt oren, fel tasa hi wrth ei bodd o weld rhywun arall mewn helynt: hen wên hunanfoddhaus.

'Oh, come on, let's get going,' meddai dyn efo barf gafr yn ddiamynedd. 'We're wasting precious time here!' Dwi'n amau ei fod o'n poeni nad oedd o am gael gwerth ei bres.

Mae'n debyg fod pawb arall wedi anghofio'r olygfa fach yn y cyntedd unwaith roedden nhw allan o'r gwesty ac yn gweld rhyfeddodau Delhi – ond dyna'r prif beth oedd ar fy meddwl i trwy'r dydd. Roedd y cywilydd o fod wedi cael cerydd o flaen cynulleidfa yn fwy hyd yn oed na'r cywilydd o orfod mynd o gwmpas â'r fath olwg ar fy ngwallt! Y peth gwaethaf un oedd gwybod mai'r unig beth fedrai ei liniaru oedd cael ei drafod efo Luned – ond ro'n i'n ei theimlo hi wedi pellhau ers ein geiriau croes y bore 'ma, a phan oedd Azhar yn gweiddi arna i, wnaeth hi ddim byd ond edrych draw. 'Dan ni'n dwy wedi bod yn dawedog iawn trwy'r dydd heddiw – a dwi'n trio cysuro fy hun mai wedi blino roeddan ni a bod hynny wedi'n gwneud ni'n bigog, ac y byddwn ni'n well fory os cawn ni noson iawn o gwsg.

Nos Sul, 10 Ebrill

Ar ôl gwely cynnar neithiwr roedd gwell tempar ar bawb bore 'ma. A heddiw mi aeth Azhar â ni i Agra i weld y Taj Mahal. Y beddrod hynod a godwyd gan Shah Jahan i'w hoff wraig, Mumtaz Mahal, wedi iddi farw ar enedigaeth eu pedwerydd plentyn ar ddeg. O bellter, roedd y beddrod yn edrych yn glaerwyn wrth iddo befrio yn yr haul – ond wedi cyrraedd yno, mi welon ni fod y marmor, mewn gwirionedd, yn frith o emau o bob lliw.

Ddiwedd y pnawn, mi gawson ni amser rhydd yn Agra. Ger y fynedfa i'r Taj Mahal roedd llawer o stondinau yn gwerthu dillad a chrefftau, ac wrth fynd heibio iddyn nhw yn y bore, ro'n i wedi gobeithio y byddai cyfle i gael cip arnyn nhw cyn i ni gychwyn yn ôl. Roedd Luned, ar y llaw arall, â'i bryd ar fynd i weld beddrodau rhai o wragedd eraill Shah Jahan. Doedd gen i ddim diddordeb yn y beddrodau . . . doedd gan Luned ddim diddordeb yn y stondinau . . . mi ddechreuon ni ddadlau – a bu ond y dim i'r ddadl â throi'n ffrae. 'Alwen, dyma'r unig gyfla gawn ni byth i weld beddi'r gwragadd erill, fwy na thebyg,' meddai Luned, â'i llais yn codi. 'A 'sana i'm isio'i golli fo jest er mwyn mynd i weld rhyw ddillad a chreffta sy i'w ca'l ym mhob man! Cer di i'w gweld nhw dy hun, os lici di.' Wrth gwrs, roedd hi'n gwybod yn well na neb na faswn i byth yn ddigon hyderus i fynd o gwmpas lle mor ddiarth ar fy mhen fy hun! Mynd i weld y beddrodau efo hi wnes i. Ro'n i'n dal i deimlo wedi blino, ro'n i'n boeth, ac roedd 'na ryw hen ddicter yn ffrwtian yn araf y tu mewn imi yn y gwres.

Ar y ffordd yn ôl i'r bỳs, mi ddechreuodd rhyw ddyn – Indiad – gerdded wrth f'ochor i, a thrio taro sgwrs efo fi. Ar unwaith, mi welais i wyneb Luned yn tynhau. Ers i ni gyrraedd India, mae'r ddwy ohonon ni wedi sylwi mod i'n cael llawer o sylw gan y dynion: mae aml i ben wedi troi i edrych arna i, rhai wedi gwenu arna i, ambell un wedi wincio arna i, a dau neu dri wedi gweiddi 'helô'. Ond does neb o gwbwl wedi cymryd unrhyw sylw o Luned. A tydi hynny ddim yn plesio, wrth gwrs. 'Tyd, Alwen, paid â dechra siarad efo fo!' meddai hi, pan ddaeth y dyn yna ata i heddiw. 'Wyddost ti ddim be mae o isio . . . *tyd*!'

Ac eto, does 'na neb gwaeth na Luned ei hun am ddechrau siarad efo dieithriaid. Mae hynny'n gallu bod yn ddiflas i mi, yn enwedig pan mae hi'n taro sgwrs efo pobol nad ydw i'n teimlo'n braf yn eu cwmni – fel Barf Gafr amser cinio heddiw – a'r rheiny wedyn yn ymuno efo ni, pan faswn i'n fwy cyfforddus tasa 'na ddim ond y hi a fi.

Ar y ffordd yn ôl heno, mi arhosodd y bỳs mewn tref fechan efo enw hir er mwyn i ni gael tamaid o swper. Mi biciais i'r tỳ bach yn y bwyty, a phan ddois i'n ôl pwy oedd wedi ymuno â Luned ar ein bwrdd ni ond y ferch efo'r gwallt oren. Roedd y ddwy wrthi'n siarad yn wyllt.

'Alwen! Ges be?' meddai Luned, wedi cynhyrfu. 'Ddim ni ydi'r unig Gymry ar y trip 'ma! Cymraes ydi Saran hefyd – o Fangor. Saran, dyma Alwen, fy ffrind.'

Fel arfer, mi faswn i'n falch o gyfarfod Cymry eraill mewn gwlad dramor – ond do'n i ddim yn falch o ddeall mai Cymraes oedd hon! Ro'n i wedi cymryd yn ei herbyn hi ddoe ar ôl gweld ei gwên yn y cyntedd. Dwi'n llai hoff byth ohoni erbyn hyn. Mae hi'n siarad efo llediaith, mae hi'n nawddoglyd, ac mae hi'n gwbod y cwbwl. (Mi fuodd hi'n paldaruo am hir am Shah Jahan a Mumtaz Mahal, fel tasa hi'n eu nabod nhw'n iawn!) Ar Luned roedd hi'n edrych bob tro roedd hi'n siarad ac roedd hynny'n plesio Luned, sydd fel tasa hi wedi cael ei chyfareddu ganddi! Roedd hi'n tueddu i f'anwybyddu i.

Mi gerddon ni'n tair yn ôl i'r bỳs efo'n gilydd. Roedd hi wedi nosi erbyn hyn, ac fel roedden ni'n croesi pont fach, mwya sydyn dyma'r goleuadau i gyd yn diffodd nes bod yr holl dref mewn tywyllwch! Doedd 'na ddim golau mewn unrhyw adeilad, boed dỳ neu siop, na golau ar y stryd na dim; dim ond düwch tew. Ro'n *i* wedi dychryn, wrth gwrs.

'O, mae hyn yn digwydd o hyd yn India,' meddai Saran, ag awdurdod lond ei llais.

'Be, goleuada tre gyfa i gyd yn diffodd ar unwaith?' medda fi.

'Ia, ia. Be, wyddat ti ddim?'

Fel tasa hynny'n rhywbeth roedd pawb *arall* yn y byd yn ei wybod! Ac yn y tri gair yna, a thôn ei llais, roedd cymaint o eiriau eraill yn cuddio. Roedd hi am sefydlu ei bod hi'n wybodus a minnau'n anwybodus, am ddechrau fy rhoi i yn fy lle. Erbyn i ni gyrraedd yn ôl i'r gwesty, roedd yr hen deimlad annifyr 'na dwi wedi'i gael am y gwyliau 'ma wedi dwysáu.

Nos Lun, 11 Ebrill

Diwrnod rhydd yn Delhi heddiw, a chyfle i weld y siopau – o'r diwedd! Ro'n i wedi gobeithio cael cwpwl o ffrogiau. Roedd Luned, ar y llaw arall, eisiau pethau i'w thŷ newydd: rỳg, cwilt a chlustogau. Doedd gen i ddim diddordeb mewn rygiau na chwiltiau . . . doedd gan Luned ddim diddordeb mewn ffrogiau . . . cyn bo hir roedden ni'n flin ac yn bigog ac yn arthio ar ein gilydd am ddim byd. I wneud pethau'n waeth, roedden ni'n dwy'n cael trafferth i ddeall yr arian, roedden ni'n boeth, a doedd ein stumogau ni ddim yn teimlo'n iawn ar ôl cinio. Eto i gyd, mi lwyddais i i gael hyd i ffrog wyrddlas, a bolero fendigedig yn frodwaith ac yn fwclis i gyd i fynd efo hi, a thua diwedd y pnawn gwelodd Luned gwilt perffaith ar gyfer ei stafell wely newydd mewn glas, fioled ac aur. Roedd hi wedi gwirioni. Y pris oedd 13,000 rwpî.

'Faint ydi hynna'n 'yn harian ni, Alwen?' gofynnodd.

'Aros funud,' medda finnau, a thynnu'r llyfr bach ro'n i'n gwneud fy syms ynddo fo a'r feiro o fy mag eto fyth. 'Hei, ma hwnna'n goblyn o fargian! Dim ond £19.25 ydi o! Fedra i'm coelio bod bob dim mor rhad yma! Chaet ti byth gwilt fel hwn am hynna adra.'

'Wir? Dim ond hynny ydi o? Ti'n siŵr?'

'Wel, sbia –'

'Na, na, na – ma'n iawn. Gyma i d'air di!' A thynnodd y cerdyn plastig o'i phwrs.

Yn ôl yn y gwesty, roedd Luned a minnau'n eistedd yn y bar yn sipian sudd leim ffres a soda pan ddaeth Saran i mewn, yn llwythog fel mul. Aeth hithau i nôl diod cyn dod i eistedd aton ni, ac mi ddechreuon ni ddangos y pethau roedden ni wedi'u prynu i'n gilydd.

'Wow! Mae'r cwilt 'na'n anhygoel!' meddai Saran am yr ail waith. Roedd hi'n llawer mwy brwdfrydig ynglŷn â phethau Luned nag roedd hi ynglŷn â mhethau i.

'O, dwi'n gwbod!' medda Luned. 'Ac odd o mor rhad: dim ond 13,000 rwpî!'

Edrychodd Saran yn rhyfedd arni.

'Faint?' gofynnodd.

'13,000 rwpî. Jest dan £20.'

'Y . . . Luned . . . mae 13,000 rwpî yn nes at £200.'

Wna i byth anghofio wyneb Luned. I ddechrau, roedd hi'n meddwl bod Saran wedi gwneud camgymeriad – ond hi oedd yn iawn. Roedd ganddi un o'r teclynnau bach yna sy'n trosi arian un wlad i arian gwlad arall, ac mi dorrodd hwnnw'r ddadl. Pan roddodd Saran 13,000 rwpî yn y teclyn, mi ddangosodd £192.49. Y fi oedd wedi gwneud y camgymeriad, nid y hi.

'Alwen! Mi ddudist ti mai £19.25 oedd o!' Roedd llais Luned wedi mynd yn fach.

'Do, dwi'n gwbod. O Luned, ma'n ddrwg gin i. Dwi'n teimlo'n ofnadwy! Ro'n i wir yn meddwl mai dyna faint oedd o.'

'Ond mi ofynnis i iti oeddat ti'n siŵr . . .'

'Do – ac mi 'nes inna gynnig dangos fel ro'n i 'di gneud

y sym i ti, ond mi ddudist ti y byddat ti'n cymyd 'y ngair
i . . .'

Doedd dim ots faint ro'n i'n ymddiheuro; doedd dim
ots mod i wedi gwneud yr un camgymeriad ynglŷn â fy
ffrog a bolero, ac wedi talu llawer mwy nag o'n i wedi'i
sylweddoli fy hun. Roedd wyneb Luned fel marmor, yn
wyn ac yn galed ac yn oer, a phrin roedd hi'n medru
edrych arna i weddill y noson heb sôn am siarad efo fi.

'Mi ddylat ti gael un o'r rhain, Alwen,' meddai Saran,
gan chwifio'r teclyn bach trosi arian o flaen fy nhrwyn.
'Fydda i byth yn mynd i unrhyw wlad dramor hebddo fo.
Mae o'n handi iawn, yn enwedig i rywun sydd heb fod yn
dda iawn efo ffigyra.' A sylwais eto ar yr hen wên
hunanfoddhaus yna'n graith ar ei hwyneb.

Nos Fawrth, 12 Ebrill
Heddiw mi adawon ni Delhi a theithio i Jaipur, sy'n
ddinas wirioneddol drawiadol. Mae'r adeiladau i gyd yn
binc dwfn, fel pe bai'r cerrig wedi cael eu mwydo mewn
sudd pomegranad am hir. Roedd hi'n bnawn arnon ni'n
cyrraedd ond roedd amser i fynd i weld Hawa Mahal, y
palas pum llawr sydd wedi'i gynllunio ar ffurf coron y
duw Krishna.

Pan aeth Luned a minnau i'r stafell fwyta yn y gwesty
am ein pryd nos, roedd Saran yno'n barod ac yn eistedd
ar ei phen ei hun. 'Awn ni i ista efo Saran, ia?' meddai
Luned.

Roedd Saran wedi cael gwybod bod rhyw gyngerdd o
gerddoriaeth Indiaidd draddodiadol yn cael ei gynnal
heb fod ymhell o'r gwesty heno, ac roedd hi wedi cael
tocyn. Roedd arna i isio cicio Luned pan ddangosodd hi
ddiddordeb yn y cyngerdd, achos wedyn dyma Saran yn
dweud bod croeso i ni fynd efo hi ac mai yng nghyntedd

y gwesty roedd y tocynnau i'w cael. Ro'n i'n gweddïo na fasa 'na'r un tocyn ar ôl – ond, wrth gwrs, roedd 'na ddigonedd, ac ar ôl mynd yno do'n i ddim yn synnu oherwydd dyna'r cyngerdd mwyaf aflafar i mi fod ynddo fo 'rioed!

Gwaeth hyd yn oed na'r gerddoriaeth oedd gorfod gwrando ar Saran yn rhefru pa mor wych oedd o yr holl ffordd yn ôl i'r gwesty. A hyn wnaeth fy nghael i: gorfod gwrando ar Madam Luned yn cytuno efo hi! Wel, dwi'n nabod Luned ac mae gen i syniad go dda na wnaeth hi ddim mwynhau'r cyngerdd 'na fwy na finnau, ac mae o'n dân ar fy nghroen i pan mae hi'n trio cymryd arni ei bod hi'n ddiwylliedig. Ddywedais i'r un gair nes i Saran ofyn i mi, yn ei hacen grand: 'Be oeddat *ti*'n feddwl o'r cyngerdd, Alwen?'

'A deud y gwir,' medda fi, wedi bod yn berwi y tu mewn ers meitin, ''sa wa'th gin i wrando ar gôr o gathod yn cathrica a chŵn yn udo am ddwyawr ddim!'

'*Al*-wen!' meddai Luned, ei llais yn gymysg o sioc a cherydd. Ac mi ddaliais i hi'n edrych ar Saran ac yn rowlio'i llygaid, fel tasa hi am iddi ddeall nad oedd hi, Luned, yn rhannu fy nheimladau i. Mi frifodd hynny fi. Edrychai Saran fel pe bai hi wedi cael ei phlesio gan fy ateb, fodd bynnag. 'Wel, ia,' meddai, â'r wên fach sbeitlyd yna'n camu ei gwefusau, 'tydi o ddim y math o gerddoriaeth mae *pawb* yn medru'i werthfawrogi.'

Gynnau, pan oedd Luned a finnau ar ein pennau'n hunain yn ein stafell, roedd yn rhaid i mi gael gofyn iddi: 'Oeddat ti'n licio'r miwsig 'na go iawn, Luned?'

'Wel, mi oedd o'n tyfu arna i yn ystod y noson,' atebodd, â'i llais yn dynn.

Dwi ddim yn ei choelio hi. Dwi'n siŵr mai'r unig beth

a dyfodd arni yn ystod y noson oedd clamp o gur pen!
Sut na wnes i sylwi o'r blaen person mor ffug ydi hi?

Nos Fercher, 13 Ebrill

Ddechreuodd heddiw ddim yn dda. Roedd Luned yn
chwyrnu eto neithiwr; mi gododd o mlaen i eto'r bore
'ma, ac mi aeth i lawr i gael brecwast tra o'n i'n golchi
ngwallt. Wedyn, fel roedden ni ar fin cychwyn allan,
dyma hi'n dweud mwya sydyn:

'O, gyda llaw, ma Saran yn dŵad o gwmpas efo ni
heddiw. Welis i hi amsar brecwast ac mi ofynnis i fasa hi'n
licio dŵad efo ni. 'Sdim ots gin ti, nagoes?'

'Be, drwy'r dydd?' Wyddwn i ddim beth i'w ddweud.

'Wel ia, 'dan ni'm yn mynd i'w gadal hi ar 'i phen 'i hun
ar ôl cinio, nagdan? Iawn? Ma hi'n glên iawn, tydi, ac yn
berson mor ddiddorol.'

A dyma fi'n cael y gwyllt o rywle. 'Wel, a deud y gwir,
does gin i fawr o ddim byd i'w ddeud wrthi hi fy hun, ac
mi fasa'n dda gin i, Luned, tasat ti wedi meddwl sôn
wrtha i'n gynta cyn 'i gwadd hi i ddŵad o gwmpas efo ni
trwy'r dydd!'

'Alwen, be sy'n *bod* arnat ti?' meddai, â'i llais yn codi –
ond ar hynny daeth cnoc ar y drws.

'Haia, gcnod! Dach chi'n barod?' Llais Saran. Wnes i
ddim ond rhoi edrychiad hyll ar Luned, casglu mhethau
at ei gilydd a martsio am y drws.

I gaer Amer, ychydig gilometrau o Jaipur, yr aethon ni
heddiw, a chael ein cludo i fyny'r bryn ar gefn eliffantod
wedi'u haddurno'n lliwgar. Ceffyl oedd yr unig anifail ro'n
i wedi cael reid ar ei gefn o'r blaen, ac ro'n i wedi dychryn
o weld cymaint yn uwch roedd eliffant; bron nad o'n i'n
cael pendro wrth i mi edrych i lawr!

Yn y gaer ei hun roedd llawer o bethau difyr, fel

stondin peintio dwylo . . . stondin llnau clustiau . . .
swynwr nadroedd – ac roedd Saran yn wyddoniadur o
wybodaeth am bob dim! Heddiw mi sylwais i fwy byth
mor wahanol mae hi efo fi ac efo Luned. Ar Luned roedd
hi'n edrych bob tro roedd hi'n siarad, ac roedd hi'n
ymateb yn glên a brwdfrydig i bopeth roedd Luned yn ei
ddweud. Ond pan o'n *i*'n siarad doedd hi ddim yn ymateb
o gwbwl, ac roedd hynny'n gwneud i mi deimlo'n
ddibwys ac, ar adegau, yn gwneud i mi deimlo fel taswn
i ddim yn bod! Un cysur bach oedd gen i. Fi oedd yn cael
sylw'r dynion eto heddiw ac, er i Luned a Saran wgu, mi
fûm yn sgwrsio am sbel efo mwy nag un a ddaeth ata i i
siarad. A deud y gwir, ro'n i'n falch o gael sgwrs efo nhw,
yn falch o gael eu cwmni nhw, achos ro'n i'n teimlo'n
unig.

Nos Iau, 14 Ebrill
Roedd 'na hen deimlad trist wedi lapio'i hun amdana i,
ynghlwm â'r gyfnas ar y gwely, pan ddeffrais i'r bore 'ma.
Roedd o yno cyn i mi fedru cofio lle ro'n i, na hyd yn oed
cofio *pwy* o'n i; roedd o fel tasa fo wedi bod yno cyn i mi
ddeffro, wedi bod yno erioed. Pam roeddwn i'n ei deimlo
fo heddiw? Eiliad arall, ac mi gofiais am Saran. O'n, ro'n
i'n poeni amdani, ond nid dyna oedd o chwaith. Eiliad
eto, ac mi wyddwn i. Luned. Tydi pethau ddim wedi bod
yn iawn rhyngddon ni ers i ni gyrraedd India, ac er i mi
gael pyliau o deimlo'n flin iawn tuag ati, y gwir amdani
ydi mod i'n colli cynhesrwydd ein cyfeillgarwch ni. Yn ei
golli cymaint nes ei fod o'n dechrau codi'r felan arna i
erbyn hyn.

Ar ôl cael ein tywys o gwmpas Jaipur gan Azhar yn
ystod y bore, mi deithion ni'n ôl i Delhi yn y pnawn.
Heno, roedd Luned, Saran a minnau'n eistedd yn y bar

yn y gwesty pan ddaeth Indiad byr â bol tew ata i, a dechrau fflyrtio. Rowliodd Luned ei llygaid. 'Wel wir, lle *wt* ti'n ca'l hyd iddyn nhw, Alwen?' gofynnodd yn biwis.

Rhoddodd Saran chwerthiniad bach cefnogol. 'Ia, ma'n rhaid iti fod yn ofalus efo'r dynion 'ma!' meddai. 'Ti'n gwbod 'u bod nhw'n meddwl bod merched gwyn yn gêm am unrhyw beth?'

'Be ti'n feddwl?' medda fi.

'Wel, mae dynion India yn meddwl bod merched gwyn yn fwy gwyllt na'u merched nhw'u hunain. A goleua'n y byd ydi'r ddynas, y gwyllta'n y byd ydi hi yn eu barn nhw. Be, doeddat ti ddim wedi dallt pam eu bod nhw'n heidio o dy gwmpas di yn hytrach na Luned a finna?'

Mi ges i gip ar Luned. Doedd hi ddim wedi gwenu fel'na ers i ni gyrraedd India! Felly, fy ngwallt melyn a nghroen golau i oedd y rheswm pam roedd y dynion i gyd ar fy ôl i – a'i gwallt du a'i llygaid tywyll hithau oedd y rheswm pam nad oedden nhw'n rhoi'r un sylw iddi hi!

'A deud y gwir,' aeth Saran ymlaen, 'ti'n lwcus nad oes yna neb wedi ymosod arnat ti hyd yn hyn – yn enwedig gan dy fod ti'n fodlon fflyrtio a gneud lol efo nhw. Mae o'n beth reit gyffredin i ddynion Indiaidd fynd i'r afael â merched gola ar y stryd, 'sti. Maen nhw'n meddwl bod merched gola'n gofyn amdani. Wel, llun blondan sy ar bacedi condoms yn India!'

'O,' medda fi, 'a sut fasat *ti*'n gwbod hynny?'

'*Al*-wen!' meddai Luned. Edrychodd yn gyflym ar Saran, a rowliodd ei llygaid eto ac ysgwyd ei phen – fel tasa ganddi gywilydd ohona i.

'Mi fydda i wastad yn darllan am unrhyw wlad cyn ymweld â hi,' atebodd Saran. Roedd llond ei llais o rew, a'i dôn yn datgan bod y sgwrs ar ben.

Nos Wener, 15 Ebrill

Heddiw mi deithion ni o Delhi i Mussoorie ar odre mynyddoedd Himalaya. Coblyn o daith hir, a dreifar y bỳs yn gyrru fel tasa fo mewn ras. Roedd y daith yn ymddangos yn hirach byth oherwydd yr awyrgylch annifyr rhwng Luned a minnau. Ychydig iawn siaradon ni – ac eto, ar hyd y daith, ro'n i'n clywed ei llais hi yn fy mhen: 'O be sy rŵan 'to? . . . Alwen, nei di'i stopio hi? . . . Argol, Alwen, *watsia*! Be s'*anat* ti . . . Yli, os na fedri di fod yma o fewn y ddau funud nesa, anghofia fo . . . Tyd Alwen, paid â dechra siarad efo fo . . . Alwen!! Mi ddudist ti mai £19.25 oedd o! . . . Be sy'n *bod* arnat ti? . . . Wel wir, lle *wt* ti'n ca'l hyd iddyn nhw, Alwen? . . . *Al*-wen!'

Llais Luned – ond nid llais y Luned ro'n i'n ei nabod! Nid fel'na mae hi wedi arfer siarad efo fi.

I feddwl ein bod ni'n ffrindiau pennaf ddim ond wythnos yn ôl: yn ffrindiau oedd wedi rhannu cyfrinachau efo'i gilydd, wedi ymddiried yn ei gilydd, wedi bod yn gefn i'w gilydd trwy bob math o bethau, mawr a bach.

Be sydd wedi digwydd i ni?

Nos Sadwrn, 16 Ebrill

Dwi'n siŵr bod Mussoorie yn un o'r lleoedd hyfrytaf ar y ddaear. Mae'r golygfeydd i bob cyfeiriad yn syfrdanol: Dyffryn Doon yn newid ei liwiau trwy'r amser ar un ochr, a'r Himalayas yn wyn a mawreddog ar y llall. Hefyd, rydan ni tua dwywaith uchder yr Wyddfa yma, ac mae'r hinsawdd yn oer braf yn hytrach na phoeth llethol. Yn y bore mi aethon ni o gwmpas mewn *rickshaw* i weld rhai o'r atyniadau, ac ar ôl cinio mi aeth Azhar â ni ar daith gerdded o gwmpas yr ardal i weld y golygfeydd a'r bywyd gwyllt. Roedd o i gyd mor anhygoel fel mod i'n teimlo y *dylwn* i fod yn mwynhau fy hun, ac y basa'n gywilydd i mi fod yn unrhyw beth ond hapus – ond y gwir amdani oedd mod i'n teimlo'n drwm ac yn dywyll y tu mewn.

Tua chanol y pnawn roedden ni i gyd yn cerdded i fyny allt gul efo llethr coediog ar y chwith inni a dibyn serth iawn ar y dde. Roedd Luned a Saran wedi bod yn fy nghau i allan trwy'r bore, a rŵan ro'n i'n cerdded rai camau y tu ôl iddyn nhw, ar fy mhen fy hun. Ro'n i'n dechrau poethi, ac fel ro'n i'n tynnu fy molero (ro'n i wedi gwisgo fy molero gwyrddlas newydd er mwyn trio codi nghalon!) mi welais i wyneb yn edrych arna i drwy'r coed. Ac wedyn un arall, ac un arall. Roedd y goedwig yn fyw o fwncïod! Mi ddaeth un yn agos at y lôn a dechrau cerdded ochr yn ochr â fi – ac am eiliad, mi wnaeth hynny i mi deimlo'n waeth byth. Dyna lle roedden ni: criw o bobol yn cerdded fesul dau a thri – a phwy oedd fy mhartner i? Mwnci! Ond wedyn mi ddechreuais deimlo'n falch ei fod o yno: roedd o'n gwmni o ryw fath ac yn gwmni gwell nag ambell berson ro'n i'n ei nabod! Roedd rhyw olwg fusneslyd, ddoniol, ar ei wyneb o, a dyna, am wn i, wnaeth i mi feddwl ei gyfarch o:

'Haia, mwnci bach!' medda fi, a dal fy llaw allan iddo fo. Mi gafodd hynny effaith ryfeddol arno! Ar ôl syllu i fyw fy llygaid am eiliad, mi gymerodd wib amdana i – a'r peth nesa wyddwn i oedd mod i'n rhedeg i fyny'r allt gul am fy mywyd a'r mwnci a'i deulu i gyd ar fy ôl! Doeddwn i ddim wedi rhedeg mor gyflym â hynna ers blynyddoedd ond roedd ofn yn sbardun da, a dwn i ddim p'run oedd yn peri'r dychryn mwyaf i mi: y mwncïod rhyfelgar ar y chwith 'ta'r dibyn ar y dde! Wrth i mi lamu i fyny'r allt mi fedrwn glywed llawer o weiddi a sgrechian y tu ôl i mi, ac wedyn un llais yn arbennig, yn uwch na'r lleisiau eraill: Azhar!

'Will you stop? The monkeys have gone!'

A dyma fi'n aros . . . ac yn troi . . . ac yn gweld y lleill i gyd yn un cwlwm efo'i gilydd yn is i lawr yr allt. Rhai ohonyn nhw wedi dychryn, rhai ohonyn nhw wedi gwylltio – ac un ohonyn nhw yn ceisio cuddio'i gwên.

Roedd Azhar o'i go, a doedd y cerydd hwnnw ges i ganddo fo yn y gwesty yn ddim byd o'i gymharu â'r cerydd ges i heddiw – am siarad efo mwnci, a pheryglu'n bywydau ni i gyd. Unwaith eto, fedrwn i ddim meddwl am unrhyw beth i'w ddweud yn ôl, ar wahân i 'I'm sorry! I'm so sorry!' – roedd o'n gymaint ag y gallwn i ei wneud i ddal heb grio. Dechreuodd pawb symud yn eu blaenau eto, a chlywais Barf Gafr yn mwmblian 'totally irresponsible . . .' wrth ei wraig wrth fynd heibio – ond, yn annisgwyl iawn, pan edrychais arni hi, mi ges i winc a gwên!

Ar hynny, dyma Luned a Saran yn dŵad ata i. 'Fedra i'm coelio bo chdi 'di siarad efo'r mwnci 'na a dal dy law iddo fo, Alwen,' meddai Luned, yn oeraidd. 'Be ddoth dros dy *ben* di, d'wad? Maen nhw'n anifeiliaid hollol wyllt!'

'Mi ddaru'r mwncïod golli diddordab ynat ti unwaith y cafon nhw dy folero di,' meddai Saran, a'i llais yn llyfn, 'a roeddan ni i gyd yn trio dy gael di i ddallt nad oedd raid iti ddal i redag. Doeddat ti ddim yn 'yn clwad ni'n gweiddi?'

Brathodd un o'i geiriau. Bolero. 'Be ti'n feddwl "ca'l fy molero fi"?' medda fi.

'Wel, mi ollyngist ti dy folero wrth redag, 'yn do? Be, 'nest ti'm sylwi? Ac mi neidiodd y mwncïod amdani, a'i chario 'nôl i'r goedwig fel tasan nhw wedi cael trysor.'

Mi edrychais i i fyny'r llethr coediog, ac mi welwn i'r

mwncïod yn gweu trwy'i gilydd ryw ganllath uwch fy mhen. Ac roedd un ohonyn nhw – oedd yn sefyll reit yn y tu blaen – yn gwisgo fy molero i! Y bolero ro'n i wedi talu canpunt amdani mewn siop ffasiynol yn Delhi ychydig ddyddiau'n ôl, gan feddwl nad oedd hi'n costio ond decpunt!! Ac wedyn mi welodd pawb arall y mwnci ac mi ddechreuon nhw chwerthin, ac mi wnaeth yr Azhar afiach 'na ryw sylwadau oedd i fod yn ffraeth a doniol, ac mi aeth rhai i chwerthin yn fwy byth. A Luned? Roedd ei hwyneb hi'n gwingo'n bob siâp a'i chorff hi'n crynu i gyd wrth iddi wneud ymdrech lew i beidio â chwerthin – ond roedd yr hen wên sbeitlyd yna'n dawnsio ar wyneb Saran ac mi welais i hi'n trio dal llygaid Luned. Yn sydyn, dyma Luned yn byrstio a dyma'r ddwy'n dechrau gweryru. 'O sorri, Alwen, sorri,' meddai Luned, 'mae o jest yn edrach mor ddigri!'

Ymlaen â ni i ben yr allt, y fi ar fy mhen fy hun, rai camau y tu ôl i Luned a Saran. Roedd pawb arall yn cydgerdded efo'u cymar neu ryw berthynas, neu Azhar. Ro'n i'n teimlo mor unig, ac mi wyddwn i nad Saran ydi'r un sydd ar ei phen ei hun ar y gwyliau yma rŵan – ond y fi!

Nos Sul, 17 Ebrill
Os Mussoorie ydi'r lle hyfrytaf ar y ddaear, Rishikesh ydi'r lle rhyfeddaf – a dyna lle buon ni heddiw. Dinas sanctaidd Rishikesh, lle mae'r Ganges yn gadael yr Himalayas, gyda'i themlau ac *ashrams* (lle mae pobol yn mynd i encilio a myfyrio), y gwartheg sanctaidd arferol, a dynion sanctaidd hefyd, yn gorweddian yma ac acw gyda'u gwalltiau'n gaglau a'u barfau'n hirion, a'u cyrff bron yn noeth. Ac wedyn dyna'r dynion mwnci. Y rhain eto bron yn noeth ac yn mynd o gwmpas gan ddynwared mwncïod

yn symud ac yn sgrechian. Wnes i ddim deall pam ac, am unwaith, doedd Saran hollwybodus ddim yn medru'n goleuo ni chwaith! Fy syniad i o ddinas sanctaidd ydi lle tawel ei sŵn a'i liwiau – ond roedd Rishikesh yn un syrcas swnllyd â'i lliwiau'n sgrechian yn llachar uwchben sŵn y stryd.

Ar ôl bod o gwmpas efo'r grŵp, cawsom rywfaint o amser rhydd cyn cychwyn yn ôl am Mussoorie. Pan soniais i fod arna i awydd mynd i un o'r caffis i brofi eu te Ayurvedic, mi sylwais ar Luned a Saran yn edrych ar ei gilydd yn slei.

'O. O'n i'n meddwl mynd i weld un o'r *ashrams*,' meddai Saran. 'Be *ti* ffansi neud, Lun?'

'Wel . . . 'sa'n well gin inna ga'l mynd i weld yr *ashram*.'

'Reit! Be am i *ni* fynd i weld yr *ashram* a chditha fynd i gael te, Alwen?' meddai Saran. 'Ac mi welwn ni chdi draw wrth y bont 'mhen awr. Iawn?'

Nagoedd, doedd cael fy ngadael mewn lle mor ddiarth â hyn ar fy mhen fy hun bach am awr ddim yn iawn o gwbwl, ond beth ddwedwn i? Es i chwilio am gaffi a threulio'r amser yno'n sipian paneidiau o'u te iach, arbennig, ac fel roedd yr awr yn dod i ben ymlwybrais draw am y bont. Doedd Luned a Saran ddim yno. Hanner awr yn ddiweddarach, doedden nhw byth wedi cyrraedd. A dyma fi'n cofio'r ffordd roedd Saran wedi edrych ar Luned pan soniais i fod arna i eisiau panad: wrth gwrs, roedden nhw wedi bod yn aros am gyfle i gael gwared arna i; doedden nhw ddim wedi bwriadu fy nghyfarfod i wrth y bont! Ac wrth i mi sylweddoli hynny, mi deimlais y gawod gyfarwydd o ofn, yn ddiferion tawel o banic drosta i.

Y peth gorau, ceisiais ymresymu, fyddai mynd i chwilio am y bỳs. Roedd hi'n nosi'n gyflym ac roedden ni i fod i gychwyn yn ôl ymhen chwarter awr. Mi groesais bont hir Lakshman Jhula a'r ofn yn fy nhagu. Roedd rhesi hir o ddynion sanctaidd yn eistedd ac yn lled-orwedd ar hyddi, ac wrth i mi edrych ar un ohonyn nhw cefais fy synnu o gael winc yn ôl! Gwenodd rhai eraill arna i a galwodd un rywbeth mewn Hindi nes gwneud i'r lleill chwerthin. Yn amlwg, fedrai dynion sanctaidd India ddim maddau i wallt melyn chwaith! Roedden nhw'n codi arswyd arna i, eu gwalltiau'n hir a dryslyd a'r rhan fwyaf o'u cyrff yn y golwg. Rhedais dros weddill y bont, ond i ba gyfeiriad roeddwn i i fod i fynd wedyn? I'r dde 'ta i'r chwith? Fedrwn i ddim bod yn siŵr. Dyna drio'r chwith, a dal a dal i fynd – ond doedd dim golwg o unrhyw faes parcio. Gofynnais i rai o'r bobol o'm cwmpas a wydden nhw lle roedd y bysys, ond doedd neb yn fy nallt. Rhedais o un person i'r llall, fy llais yn mynd yn fwy o sgrech efo pob un ro'n i'n ei holi, ond roedd pawb yn edrych yn rhyfedd arna i ac yn trio f'osgoi i, fel tasen nhw'n meddwl mod i 'mhell o ngho.

Yn ôl â fi dros y bont yn y gobaith o weld un o'n grŵp ni yn rhywle. Daeth gwraig mewn sari lliw banadl ata i, yn ei chwman, yn griddfan, â'i llaw dde yn gwpan wag o'i blaen. Ceisiais ei phasio ond roedd hi'n cau gadael i mi fynd heibio. Sgrechiais arni i symud o'r ffordd. Poerodd hithau eiriau Hindi oedd yn swnio'n debyg i felltith; sythodd, a cherdded i ffwrdd, yn syth fel cyllell ac yn sionc. Daeth dynion sanctaidd i'm cyfarfod a'm llygadu'n iawn wrth fynd heibio. Rhedais o un lle i'r llall, yn trio dianc rhag fy ofn fy hun, ella, yn fwy na cheisio dod o hyd i neb. Roedd y lle 'ma mor ddiarth, mor ddiarth! Dal i ofyn i bobol a oedden nhw'n gwybod lle roedd y maes parcio yn y mymryn o lais oedd gen i'n weddill . . . dal i redeg . . . mor ddiarth . . .

Neb yn dallt.

Roedd hi'n dywyll erbyn hyn ac, yn sydyn, mi ddigwyddodd o. Mi ddiffoddodd golau'r holl ddinas yr un pryd. Doedd dim golau mewn unrhyw adeilad nac ar unrhyw stryd, dim ond nos a düwch. Ar unwaith, aeth y gawod o ofn yn saith trymach nes bod arswyd yn tywallt drosta i, a rhedais yn gyflymach er na fedrwn weld i ble ro'n i'n mynd. Teimlais bâr o ddwylo yn cau am fy mhen-ôl i. Troais, a gweld set o ddannedd gwyn yn gwenu arna i yn y tywyllwch. Plannais fy mhenelin yn asennau perchennog y dannedd nes ei fod o'n gweiddi, a rhedeg yn fy mlaen. Yna teimlais un o'm traed yn mynd i rywbeth meddal, sglwtshlyd, ac o'r arogl a ddilynodd deallais mod i wedi camu i ganol baw un o'r gwartheg sanctaidd, sy'n addurno'r strydoedd ym mhob man. Daliais i redeg. Teimlais gorff noeth rhywun yn rhwbio'i hun yn f'erbyn i; cic gafodd hwnnw! Daeth sgrech mwnci yn agos y tu ôl i mi . . . ac un arall yn union o mlaen i. Mwncïod go iawn neu ddynion mwnci? Doedd dim ots: roedd arna i gymaint o ofn y ddau. Sgrechiais innau nerth fy mhen yn ôl, a dal a dal i sgrechian. Yna teimlais rywun yn gafael yn dynn yna i ac yn fy ysgwyd. Wrth i'r ofn fy nhrochi aeth yn nos arna i – nid yn unig o nghwmpas i, ond hefyd y tu mewn i mhen.

Pan ddois ataf fy hun, ro'n i'n gorwedd ar sedd gefn y bỳs ac roedd Azhar uwch fy mhen, yn gandryll, ac wrthi'n ei gaddo hi. 'You! You! Why is it always you?' taranodd. 'You've been nothing but trouble from the start!' Ond wedyn, daeth gwraig Barf Gafr yno a dweud wrtho bod arna i angen llonydd, ac am iddo fynd yn ôl i eistedd. Ganddi hi y cefais wybod mai Azhar oedd wedi gafael yna i. Roedd o a'r dynion eraill wedi bod yn chwilio amdana i ac wedi cael hyd i mi yn y tywyllwch trwy ddilyn fy sgrechfeydd.

Daeth Luned ataf. 'Lle buost ti, Alwen?' gofynnodd. 'Mi fuon ni'n aros amdanat ti wrth y bont ond welon ni mohonat ti, ac wedyn mi fuon ni'n chwilio amdanat ti ond mi yrrodd Azhar ni'n ôl i'r bỳs a deud mai job iddo fo a'r dynion oedd hi.'

Doeddwn i ddim yn teimlo'n barod i'w hateb hi, felly wnes i ddim ond troi nghefn arni a chymryd arnaf mod i'n cysgu. Aeth hithau'n ôl i'w sedd. Rywbryd, arhosodd y bỳs i bawb gael mynd i'r tŷ bach ac ystwytho'u coesau. Clywais Saran yn gofyn, 'Ti am ddŵad allan, Lun?' a Luned yn ateb, 'Na, dwi'n iawn.' Pan ddaeth Saran yn ei hôl, aeth at Luned a dweud, mewn llais bach gwirion: 'Haia mwnci bach!'

'Shh!' meddai Luned.

'Paid â phoeni. Chlywodd hi ddim byd. Mae hi'n cysgu,' sibrydodd Saran – ac wedyn bu'r ddwy yn giglan yn afreolus. Roedd hynny'n brifo, a fedrwn i ddim dal y dagrau'n ôl.

Nos Lun, 18 Ebrill
Pan ddeffrais i heddiw yn dioddef o ddeiarïa, ro'n i'n ddiolchgar! Dyna'r esgus perffaith i gael aros yn y gwesty ar fy mhen fy hun yn hytrach na threulio diwrnod rhydd ym Mussoorie efo Luned a Saran. Erbyn gweld, roedd chwech ohonon ni wedi cael y llucheden, ac yn ein mysg roedd Gwraig Barf Gafr. Mi ges i sgwrs ddifyr efo hi ddiwedd y pnawn. Roedd hi'n argymell port a brandi at fy stumog, ac mi ges i'r argraff ei bod hithau wedi cael llond bol ar Barf Gafr.

Es i ddim i nôl swper heno ond mi benderfynais fynd draw i'r bar wedyn gan ei bod hi'n noson olaf y gwyliau a phawb yn ymgynnull yno am ddiod ffarwél. Wrthi'n traethu'n faith ac yn huawdl am ferched India roedd Saran fel ro'n i'n gorffen fy ail ffisig o bort a brandi:

'. . . ond maen nhw'n cael cyn lleiad o gyflog am fynd o gwmpas yn llnau tai, swyddfeydd ac ati fel 'i bod hi'n talu'n well iddyn nhw . . .'

'Pam na ddoist ti at y bont i nghyfarfod i ddoe, Luned?' gofynnais ar ei thraws yn dawel.

Edrychodd Saran arna i am eiliad fel tasa hi ddim yn siŵr oeddwn i wedi siarad ai peidio, ond ar ôl saib fer aeth yn ei blaen:

'. . . mae'n talu'n well iddyn nhw fynd i feg. . .'

'Pam na ddoist ti at y bont i nghyfarfod i ddoe, Luned?' gofynnais ar ei thraws eto, yn uwch.

Cochodd Luned a thawodd Saran.

'Mi . . . mi es i. Ddudis i 'that ti. Doeddat ti ddim yna.'

'O o'n, mi o'n i. Y chdi odd ddim yna. Pam?'

'Alwen! Paid â bod mor . . .' dechreuodd Saran.

'Cau di dy geg! Ddim efo chdi dwi'n siarad. 'Swn i'm yn disgwl dim gwell gin *ti* – ond Luned, mi wt ti i fod yn ffrind. Pan na ddoist ti ddim yna?'

'Wel, mi . . . mi . . .' Fedrai hi ddim mynd yn ei blaen. Edrychodd ar Saran am help.

'Syniad hon odd o, ia?' medda fi, a nodio fy mhen tuag at Saran. 'Ca'l gwarad arna i a wedyn peidio dŵad i nghyfarfod i er mwyn i mi fynd ar goll a mynd i chwanag o drwbwl? Pam ti'n gneud bob dim ma hi'n ddeud wrthat ti, Luned? Ti fel rhyw gi bach, yn 'i dilyn hi i bob man a . . . ac yn trio'i phlesio hi o hyd. Ti'n bathetic!'

'Pathetic?!' gwaeddodd Luned, wedi'i brathu. 'Pathetic! Fi? Ylwch pwy sy'n siarad! Ddim *fi* 'di'r un sy'n mynd am therapi ers misoedd, sy'n mynd i weld 'i seiciatrydd bob wsnos i drafod 'i phylia panic a'i hiseldar a'i hofna niwrotig i gyd!'

Y bitsh! Doedd 'na neb – NEB – yn gwybod hyn amdana i ond Luned. Y hi oedd yr unig un ro'n i wedi dweud wrthi, wedi ymddiried ynddi. A'r eiliad y cyhoeddodd hi fy nghyfrinach i i Saran (a oedd yn wên i gyd ar ôl cael y darn blasus yma o wybodaeth amdana i), roedd hi'n gwybod – ac ro'n i'n gwybod – ei bod hi wedi mynd yn rhy bell! Roedd hi wedi croesi'r Rubicon. Wel, doedd waeth i mi ei dilyn hi ddim.

'Taw â sôn, Luned,' atebais, 'ond ers dŵad ar y gwylia 'ma dwi 'di dŵad i dy nabod titha'n well. A 'sti be? Dwi 'di dŵad i weld nad odd y bai i gyd ddim ar Arfon! 'Sat ti'n gofyn i mi, mi odd isio sbio'i ben o'n dy briodi di'n y lle cynta ac yn aros efo chdi mor hir! Dwi 'di gwrando digon arnat ti'n lladd arno fo a Manon Puw – ond erbyn hyn, dwi'n meddwl mai'r peth calla 'nath o rioed oedd d'adal di am Manon!'

Edrychodd Luned arna i am eiliad fel tasa hi'n methu credu mod i wedi dweud y fath beth; wedyn chwalodd ei hwyneb a rhuthrodd allan dan grio. 'Wel, wel,' meddai Saran, a edrychai'n falch o fod wedi cael y pwt yma o wybodaeth hefyd – dwy gyfrinach mewn un noson: dim yn ddrwg! – 'Mae o mor wir be maen nhw'n 'i ddeud am wylia, tydi?'

'Be?'

'Wel, maen nhw'n deud os wyt ti'n dal i fod yn ffrindia efo rhywun ar ôl bod ar dy wylia efo nhw, y byddwch chi'n ffrindia am byth. Meddylia am y peth: mae gwylia i fod yn amsar da, ond mewn gwirionedd mae o'n medru rhoid llawar o straen ar berthynas. Dach chi wedi cael eich cau efo'ch gilydd am wsnos neu faint bynnag, ac mae pob math o betha bach ynglŷn â'ch gilydd sydd wedi bod yn cuddiad tan hynny'n dŵad i'r amlwg . . . ac mae un isio gneud un peth a'r llall isio gneud rwbath arall . . . a dach chi mewn sefyllfa ddiarth, a dach chi'n dechra beio'ch gilydd pan mae petha'n mynd o chwith. Dyna pam maen nhw'n deud, os dowch chi drwy wylia mi ddowch chi drwy rwbath. Mae gwylia'n rhoi cyfeillgarwch ar brawf. Be, dwyt ti ddim wedi clwad hynny?'

'Siarad o brofiad wyt ti, ia, Saran? Dyna pam ti ar y gwylia 'ma ar dy ben dy hun, ia? Wedi bod ar wylia efo pob ffrind oedd gin ti, ac wedi ffraeo efo pob un ohonyn nhw? A rŵan ti'n trio dwyn ffrind rhywun arall?'

Dim ond isio dweud rhywbeth i'w brifo hi roeddwn i: rhywbeth i'w brifo hi'n ôl am iddi frifo cymaint arna i. Doeddwn i ddim yn barod am ei hymateb. I ddechrau, cochodd; yna'n araf, llenwodd ei llygaid â dagrau. Rhoddodd un edrychiad arna i ac wedyn cododd hithau a diflannu trwy'r drws.

Roedd Barf Gafr a'i wraig yn eistedd y tu ôl i mi. Pan aethon nhw allan ryw bum munud wedyn, trodd ei wraig ata i. 'Well done!' meddai. 'I'm not quite sure what's been going on but it's high time you stood up to those two. And don't take any more nonsense from that awful man Azhar either. If it wasn't for people like you and me, he'd be out of work!'

Nos Fercher, 20 Ebrill
Awr arall ac mi fydd yr awyren yn glanio ym Manceinion. Tydi Luned a finnau ddim wedi siarad efo'n gilydd ers nos Lun, felly 'dan ni am gael taith dawel iawn adra o'r maes awyr yn y car! Pnawn ddoe, ychydig cyn i ni gychwyn ar ein taith adra, mi ddaeth Saran ata i a dweud bod Luned a hithau wedi penderfynu y basa'n well iddi hi, Saran, a finnau ffeirio lle ar y daith yn ôl. Ar fy mhen fy hun yr

ydw i'n eistedd yn yr awyren yma, felly, ac mae'n anodd credu mai'r un ddwy ddynes ydi Luned a minnau ag a ddywedodd ddim ond deng niwrnod yn ôl y byddai'n well ganddyn nhw fod efo'i gilydd nag efo neb arall tasa'r awyren yn ffrwydro . . .

Nos Fawrth, 26 Ebrill
Mae bron wythnos ers i ni ddŵad yn ôl o India yn barod, ac er i mi ddweud mod i wedi mwynhau fy hun wrth bawb sydd wedi gofyn i mi – oes 'na rywun byth yn cyfaddef nad ydyn nhw ddim wedi mwynhau eu gwyliau? – mae'r holl beth i'w weld fel rhyw fath o hunllef erbyn hyn. Yn ddiddorol, heddiw mi ddaeth cerdyn gan Wraig Barf Gafr – Carol – yn gobeithio mod i wedi cyrraedd adra'n saff, ac yn dweud ei bod wedi penderfynu nad ydi hi am fod yn Wraig Barf Gafr mwyach! Ei hunion eiriau oedd: 'Being on holiday with him made me realize just how obnoxious he is!' Heno, ar ei hanogaeth hi, mi sgrifennais lythyr at reolwr y cwmni teithio'n cwyno am Azhar – a beth bynnag ddaw ohono fo, dwi'n teimlo'n well ar ôl gwneud.

Nos Iau, 10 Tachwedd
Mi welis i Tesni Felin yn y dre heddiw. Roedd hi'n dweud ei bod wedi clywed bod Luned yn mynd ar ei gwyliau i Tsieina ym mis Ebrill efo 'rhyw Sara' roedd hi wedi'i chyfarfod yn India. Wel, pob lwc iddyn nhw, ddweda i!

Ys gwn i wnân *nhw* basio'r Prawf?

Yr awduron

Bethan Gwanas

Awdures a chyflwynydd sydd wedi bod ar y saith cyfandir, sy'n mwynhau beicio a chwarae yn y dŵr, ac sy'n byw mewn hen dŷ bach difyr ym Meirion efo'i gast ddefaid goch. Ei hoff le i fynd ar wyliau iddo yw Ffrainc oherwydd, meddai Bethan, 'Mae'n agos, mae'n hyfryd, ac maen nhw'n siarad Ffrangeg yno!'

Ioan Kidd

Brodor o Gwmafan yng ngorllewin Morgannwg yw Ioan ond mae'n byw yng Nghaerdydd ers blynyddoedd lawer. Ar ôl gyrfa hir ym maes rhaglenni plant a newyddion gyda BBC Cymru, mae bellach yn gweithio ar ei liwt ei hun. Mae'n awdur pedair nofel ac un gyfrol o straeon byrion. Crwydryn yw e wrth reddf, a does dim yn well ganddo na phrofi'r wefr o 'ddarganfod' rhyw ddinas newydd – ar gyfandir Ewrop, fel arfer – ond yn ddiweddar syrthiodd mewn cariad â'r Ariannin ac yn enwedig â'r brifddinas, Buenos Aires.

Manon Eames

Mae Manon, sy'n enedigol o Fangor, wedi ymgartrefu yn Abertawe ers dros 30 mlynedd. Ar ôl graddio ym Mhrifysgol Manceinion aeth i weithio fel actores gyda chwmnïau theatr yng Nghymru, megis Theatr Gorllewin Morgannwg ym mlynyddoedd mwyaf llewyrchus y cwmni poblogaidd ac arloesol hwnnw. Yn ystod y cyfnod yma dechreuodd ysgrifennu a chyfieithu ac addasu ar gyfer y llwyfan, a hefyd bu'n cyflwyno i'r BBC; ers hynny mae wedi ysgrifennu cryn dipyn ar gyfer y teledu gan gynnwys cyfresi *Y Stafell Ddirgel* a *Treflan*, yn ogystal ag ysgrifennu ar gyfer Clwyd Theatr Cymru. Enillodd ei haddasiad o *Rape of the Fair Country* wobr Cynhyrchiad y Flwyddyn y *Daily Post* yn 1997, ac yn 2000 enillodd ei ffilm *Eldra* bum gwobr BAFTA Cymru (yn cynnwys y Ddrama Orau), a nifer o wobrau gwyliau ffilm yn Ewrop a'r Unol Daleithiau. Mae'n hoff iawn o lan y môr a bydd yn cerdded llawer ym Mhenrhyn Gŵyr efo'i chi. Mae ganddi hoff le yn Nhwrci ond, a hithau'n siarad Ffrangeg yn rhugl, ei hoff wlad yw Ffrainc. Yn ddiweddar mae wedi dechrau sgio ac yn mwynhau gwneud hynny yn ardal Haute-Savoie, lle mae wedi darganfod y cyfuniad delfrydol o awyr iach, golygfeydd bendigedig, dyddiau'n llawn cyffro ac egni ar y llethrau, a bwyd a diod arbennig ar ddiwedd y dydd. Perffaith!

Grace Roberts

Yn wreiddiol o Ben-sarn, sir Fôn, mae Grace bellach yn byw yn y Felinheli. Ar ôl deng mlynedd yn gweithio fel llyfrgellydd, a chyfnod yn magu teulu ifanc, daeth cyfle i ddechrau sgwennu go iawn wedi iddi symud yn 1980 o'r Wyddgrug i hen gartref Elizabeth Watkin Jones yn Nefyn, a deil ei gŵr mai creadig-aethau ei hysbryd hi yw'r pedair cyfrol a gynhyrchodd Grace yno! Yna daeth deng mlynedd fel un o dîm sgriptwyr *Pobol y Cwm*, a phwl hir o salwch wedyn, gan olygu bwlch o ugain mlynedd cyn iddi gyhoeddi nofel arall, sef *Adenydd Glöyn Byw*, a lwyddodd, er mawr ryfeddod iddi, i ennill Gwobr Goffa Daniel Owen yn 2010. (Yn ôl Grace, efallai fod ysbryd Elizabeth Watkin Jones wedi symud hefo nhw i'r Felinheli!) Mae'n aelod o gymdeithasau llenyddol, diwylliannol, hanes, a hanes teulu, ac yn crwydro yma a thraw i weld pob drama o fewn cyrraedd. Hefyd, pan fydd yr haul yn ddigon clên i wenu'n gynnes a'r gwynt yn ddigon tyner i gosi'n garuaidd yn hytrach na hyrddio'n wallgo yn ôl ei arfer, bydd yn rhyw how-fynd-am-dro.

Janice Jones

Mae Janice yn byw yn Nhre-garth ac yn fam i bedwar o blant sydd bellach yn oedolion. Mae'n mwynhau creu gwaith crefft sydd, meddai hi, yn rhoi cyfle gwych iddi synfyfyrio dros yr hyn y gallai hi ei wneud ar ôl iddi dyfu i fyny ei hun. Mae'n mwynhau crwydro ac yn gobeithio gwneud llawer mwy o hynny yn ei henaint. Ei hoff le ar gyfer gwyliau yw'r Alban – er gwaetha'r chwiws!

Guto Dafydd
Mae Guto'n byw yn y Ffôr, ger Pwllheli, efo Lisa. Graddiodd yn y Gymraeg o Fangor ac mae bellach yn gweithio i Gyngor Gwynedd. Mae'n mwynhau gwyliau hollgynhwysol lle caiff ddarllen, bwyta ac yfed yn ddi ben draw yn yr haul. Mae'n hoff o ddyddiau'n crwydro Llundain hefyd.

Manon Wyn Williams
Ar ôl graddio yn y Gymraeg o Brifysgol Bangor yn 2008, bu Manon yn gweithio fel actores ac yn cynnal gweithdai drama i ieuenctid yn ogystal â chwblhau gradd MA mewn Cymraeg ac Ysgrifennu Creadigol, gan ganolbwyntio ar y ddrama fel cyfrwng. Yn 2009 derbyniodd ysgoloriaeth i ddilyn cwrs doethuriaeth mewn sgriptio a drama ym Mhrifysgol Bangor. Fel rhan o'i gwaith creadigol ar gyfer y cwrs ysgrifennodd dair drama; daeth dwy ohonynt yn fuddugol yng nghystadleuaeth y Fedal Ddrama yn Eisteddfod Genedlaethol yr Urdd, a'r llall yn fuddugol yng nghystadleuaeth cyfansoddi drama Cymdeithas Ddrama Cymru. Dros y blynyddoedd bu'n cystadlu mewn nifer o eisteddfodau, yn unigol ac fel aelod o gôr, a dywed fod pob gwyliau o ganlyniad yn cael ei dreulio'n ymarfer yn ddyfal, a dim llawer o amser i fynd am joli-hoit i unman pellach na Bryncir. 'Ond,' meddai, 'pwy sydd angen sŷn, sî a sandcasyls pan mae gynna chi lond carafán o ffrindia yn Maes C, cwpan blastig lawn yn un llaw a sosej 'di'i chrimetio ar y thro-awê-barbaciw yn y llall, a hithau'n noson braf o Awst!'

Eleri Llewelyn Morris
Magwyd Eleri ym mhentref Mynytho ar benrhyn Llŷn ac yno mae'n byw rŵan ar ôl treulio cyfnodau yng Nghaerdydd, yn y

brifysgol ac yn gweithio. Ers rhai blynyddoedd bellach bu'n gweithio ar ei liwt ei hun, gan fwynhau'r rhyddid, yr annibyniaeth a'r amrywiaeth. O ran gwaith, y ddau brif beth a wna yw cyfieithu ar y pryd mewn cyfarfodydd o bob math a dysgu Cymraeg i oedolion. Mae wrth ei bodd yn teithio a gweld unrhyw le newydd, ac ymysg y gwledydd mae wedi ymweld â nhw mae Patagonia, Zimbabwe, yr Aifft, Rwsia ac India. (Seiliodd rannau o'i stori ar gyfer y gyfrol hon ar rai o'r profiadau a gafodd yn India – fel cael ei herlid gan gang o fwncïod!) Ond mae'n hawdd i rywun deithio dramor ac anwybyddu ei wlad ei hun, ac un diwrnod sylweddolodd iddi fod yn y Taj Mahal heb erioed fod yn yr Ysgwrn, a'i bod wedi hedfan dros y Victoria Falls rhwng Zimbabwe a Zambia mewn awyren fach ond erioed wedi gweld rhaeadr Abergwyngregyn! Felly, ers tua dwy flynedd, mae wedi ymweld â llawer o leoedd o fewn Cymru am y tro cyntaf, o'r Ysgwrn a Chwm Idwal i Erddi Bodnant a Chastell Powys.